Berlitz
kids™

Ayude
a sus
hijos
aprender
otro idioma

Ayude a sus hijos a aprender otro idioma

Opal Dunn

Berlitz Publishing Company, Inc.

Princeton Ciudad de México Dublín Eschborn Singapur

A mi esposo e hijos,
de los cuales he aprendido mucho

Contenido

Querido padres y familiares:

Ayude a sus hijos a aprender otro idioma les brindará horas y horas de estudio divertido y productivo, tanto a usted como a su hijo. A los niños les encanta estudiar con los adultos, y cooperar en esto es una forma natural para que su hijo desarrolle las destrezas lingüísticas de su nuevo idioma en forma entretenida y divertida.

En 1878, Maximilian Berlitz tuvo la revolucionaria idea de lograr que el estudio de un idioma fuera algo accesible y divertido. Estos mismos principios están todavía en vigencia hoy. Hoy en día, un siglo más tarde, la gente de todo el mundo reconoce y aprecia este método innovativo. Berlitz Kids™ combina la tradición de tantos años del profesor Berlitz, con las investigaciones recientes para crear productos superiores, que de veras ayudan a los niños a aprender otro idioma.

Berlitz Kids™ le permite a su hijo lograr acceso a otro idioma de forma positiva. El contenido de este libro está basado en la experiencia de una autora de fama internacional, que es profesora de idiomas. Más aún, los proyectos y actividades del libro le encantarán a su hijo, puesto que estimulan y sostienen el interés. Además de las actividades, quizás desee consultar la sección de Frases útiles (hacia el fondo del libro) como referencia rápida.

Esperamos que *Ayude a sus hijos a aprender otro idioma* le proporcione a usted y a su hijo una agradable experiencia educativa.

Los editores

Introducción

Ayude a sus hijos a aprender otro idioma. Puede que dude si puede hacerlo. Debe recordar que ya lo hizo una vez—usted ayudó a su hijo a ir de cero a fluidez en su propio idioma. Reciclando y desarrollando algunas de estas mismas técnicas, apoyadas por materiales y cuidadosa planificación, puede ayudar a su hijo de nuevo. Parte del secreto del estudio exitoso de otro idioma en el caso de un niño es que el niño sepa que está progresando y que está siendo reconocido y apreciado por sus padres.

Lo que he escrito está basado en mi experiencia como educadora de docentes, escritora de materiales didácticos, consultora de educación bilingüe, y, aún más importante, madre. Decidí criar a mis hijos trilingües, a pesar de carecer de otra educación lingüística más allá de la que recibí en la escuela—solo con interés y entusiasmo.

Espero que lo que he escrito le sirva para que la ayuda que le preste a su hijo, o a los niños con los que trabaja, sea más efectiva. Esto se puede usar para empezar cualquier idioma extranjero, inclusive el español, si no fuera el idioma materno.

Quizás piense que los tres primeros capítulos son difíciles. Es importante que los lea, pues le ayudarán a entender cómo ocurre el aprendizaje, y cómo ya usted ha ayudado en el proceso. A menudo, luego de dar una charla, se me acerca alguien y me dice:

—Ahora entiendo lo que estaba ocurriendo, y mi papel en el proceso. ¡Qué lástima que no lo supe antes!

Todos los ejemplos provienen del español—fue más simple usar un idioma de base del cual transferir los conocimientos al idioma bajo estudio. También he incluido frases útiles de otros idiomas mundiales de gran difusión, para darles una idea a usted y a su hijo de cómo pueden usar otro idioma de inmediato. En un libro de este tamaño no es posible incluir otros idiomas o idiomas que usan otro alfabeto.

Es posible que ya estén usando muchas de estas sugerencias, o que las hayan usado sin saberlo cuando ayudaron a su hijo a aprender su idioma. Algunas podrán ser muy novedosas. Por favor, recuerde que se trata de sugerencias. Puede cambiarlas para adaptarlas al estilo de aprendizaje suyo o de su hijo.

Diviértanse y no subestime a su hijo. La mayor parte de los pequeñines disfrutan de aprender otro idioma, y lo hacen muy bien, cuando ustedes aprenden cómo enseñarles bien y cuando pueden apreciar las cosas como ellos las ven, además de cómo las ven ustedes .

Opal Dunn

¿Pueden ser de ayuda los padres?

"¿En cuáles situaciones de estudio puedo yo, como padre, ayudar?"

Este libro pretende ayudar a padres con hijos en las siguientes situaciones:

- comenzando el estudio en casa
- asistiendo a clubes o campamentos de idiomas
- estudiando un idioma como materia escolar
- asistiendo a un colegio bilingüe
- viviendo en el extranjero
- viajando al extranjero de vacaciones
- teniendo un extranjero en casa
- con amigos o vecinos extranjeros

A los niños les interesan los idiomas

—Puedo contar en tres idiomas— dijo en el patio de recreo Julia, de cinco años de edad. —Pues yo puedo contar en cuatro idiomas —respondió Tito—. Oigan: uno, dos, tres. Un, deux, trois, eso es en francés. One, two, three, esto es en inglés y ein, zwei, drei, eso es en alemán.—Ninguno de los dos estaba dando idiomas en el colegio.

A los niños les interesan los idiomas. Se sienten orgullosos de poder decir lo poco que saben. Pueden reconocer los sonidos y les gusta comentárselo a usted. Algunos niños hasta llegan a observar cómo es que hablan las personas del extranjero. Harán comentarios de cómo usan los labios o la boca de otras maneras.

—Mi maestra de francés habla así. —dijo Daniel, de cuatro añitos, mientras reproducía los gestos de su maestra de francés con sus labios apretados en forma larga y estrecha. Había notado que los francoparlantes tienden a no abrir tanto los labios como los hispanohablantes.

Aprender un idioma extranjero es parte del desarrollo integral del niño

Muchos niños disfrutan de aprender otro idioma. Lo ven como algo que saben hacer y lo hacen sin pensar. Más de dos tercios de los niños del mundo hablan dos o tres idiomas. Sus familiares lo esperan de ellos. Como existen estas oportunidades en sus familias y en la sociedad, se acepta como algo normal. Poder usar dos o más idiomas no es algo que el niño ve como algo separado de las demás cosas que está haciendo. Otro idioma es sólo otra cosa más que está estudiando y es parte de su desarrollo integral.

El número de niños pequeños que está aprendiendo un idioma extranjero antes de la edad de 10 u 11 años va en aumento. Las ventajas de ser bilingüe o trilingüe cada vez se hacen más evidentes en la escuela y en la casa. El aumento incesante del comercio y las comunicaciones mundiales, así como del turismo global, resultará en que un crecido número de profesionales se vea en la posición de tener que trabajar en más de un idioma, o viajar hacia una cultura diferente. Los avisos clasificados en busca de personal bilingüe son mucho más frecuentes que en los años ochenta, y se están multiplicando.

¿Es difícil aprender un idioma extranjero?

La idea de que pueda ser difícil o demasiado riguroso está en la mente de los adultos. Tales ideas pueden reflejar las dificultades personales que tuvieron los adultos. Posiblemente de niños encontraron problemas en la escuela por malos métodos de enseñanza y la falta de materiales adecuados u otras oportunidades de aprendizaje. Quizás no tuvieron mucho apoyo o ánimo de sus padres; o aprender idiomas no era algo importante en casa.

Los niños son rápidos en captar actitudes—sean buenas o malas. Los comentarios de una madre de que ella "era buena en inglés en el colegio" resuenan en el oído de su hijo cuando éste logra su primer éxito. Se siente como que ya está en el mismo sendero del éxito, y si así se siente, con seguridad alcanzará el éxito. Lo contrario puede ocurrir con el primer fracaso. —Mi padre no era bueno en francés, y yo soy igual.— Antes de empezar se ha dado por vencido. La autoprofecía se ha producido.

Los niños pronto son reflejo de las actitudes—buenas o malas— así que tenga cuidado de no dejar que nadie les pase las actitudes negativas. Estas dejan huellas perdurables, especialmente en las etapas incipientes del aprendizaje, y quizás por vida.

El aprendizaje moderno de los idiomas

Las épocas han cambiado desde que nuestros abuelos estudiaron idiomas en el colegio—si es que los estudiaron.

- Las expectativas de la familia, de la sociedad y del mundo han cambiado.
- Se conoce más acerca de cómo es que los niños aprenden su primer y demás idiomas.

- Existen muchas más nuevas oportunidades y tipos de materiales para escuchar y usar otros idiomas. Esto hace que sea más fácil aprender y que sea algo más real para los educandos.
- Hay oportunidad de oir y ver otros idiomas en acción en nuestra casa o sociedad—por ejemplo, en los periódicos, la radio o la televisión.
- Viajes al exterior permiten que los estudiantes obtengan vivencias de la lengua y cultura que estudian.

Relaciones personales—la clave del aprendizaje lingüístico

Los chicos aprenden más cuando tienen una estrecha relación personal con su maestra, que sea cálida y que les dé ánimo. La mayoría de nosotros tenemos algo que nos gusta, o que hacemos bien, gracias a la relación que tuvimos con un maestro de esa materia.

Aprender un idioma requiere, más que cualquier otro tipo de aprendizaje, de una estrecha relación personal. Uno puede practicar el piano o pintar solo, pero para que se desarrolle el lenguaje hace falta alguien con quien hablar para hacer conversación. Sin diálogo, no se puede aprender a hablar (vea p. 22).

Los adultos pueden hacer conversación cuando les sea necesario. En situaciones normales, no tienen reparo en responderle a alguien ni en discutir con alguien. Los niños, por otro lado, no pueden hablar ni comunicarse con alguien con quien no tengan confianza. Para poder interactuar, precisan tener una relación personal con el adulto.

Como cada niño es un individuo que reacciona en forma diferente, es importante que el adulto conozca bien al niño. Sin una relación estrecha con el niño, y sin saber cómo este se comunica y aprende, el adulto tendrá dificultad en entender la intención del niño y no podrá responder a sus necesidades de desarrollo. El adulto que pasa más tiempo con el niño es casi siempre la madre.

La madre como maestra de idiomas

Su hijo aprendió a hablar en casa. Usted lo enseñó. Aunque haya ido al preescolar, la mayor parte de su entrenamiento lingüístico ocurrió en casa. En el preescolar era uno entre muchos, y hubo poco tiempo para conversaciones individuales con la maestra. La mayor parte del habla que genera el lenguaje tuvo lugar en la casa con usted.

Usted puede ayudar a su hijo a aprender otro idioma en forma similar. Usted puede darle la misma atención individual y puede animarlo. Inclusive si usted no sabe ningún otro idioma bien, usted puede hacerlo puesto que existen muchos tipos de materiales para apoyar el lenguaje hablado (vea p. 155). De todas maneras, hablar bien un idioma es sólo uno de los ingredientes de la receta. Usted puede añadir otros ingredientes muy fácilmente. Ya usted lo hizo una vez, cuando le enseñó a hablar.

Para un niño, aprender otro idioma no resulta muy diferente de como aprendió su idioma materno. Su habilidad aumenta a medida que usa más el lenguaje en conversaciones. Por medio de la relación cariñosa con su hijo y el compartir momentos bien planificados, su hijo comenzará a hablarle en el nuevo idioma. Absorberá el nuevo idioma muy parecido a su primero, pero mucho más rápido. Sin una estrecha relación entre el adulto y el niño, no se logrará un aprendizaje exitoso del otro idioma.

Se podría argumentar que la madre es el mejor maestro de idioma extranjero. Se puede entender que, una vez que el niño sobrepase la etapa principiante, la madre debe buscar otras alternativas más experimentadas para enseñale el otro idioma. Esto no quiere decir que aquí se terminó el papel que juega la madre. El interés y el apoyo hacia lo que está haciendo el niño juegan un papel importante en la motivación para aprender otro idioma.

¿Por qué la madre?

- La madre conoce al niño mucho mejor de lo que lo conoce la maestra.
- La madre sabe por experiencia y por intuición cómo evaluar el temperamento y la conducta del niño.
- La madre es más sensible a
  —las necesidades e intereses individuales de su hijo;
  —el nivel y la forma de hablar que tiene su hijo en el idioma materno;
  —la habilidad para hacer las cosas que tiene su hijo;
  —las formas de aprender que usa su hijo.
- La madre sabe cómo ganarse el interés de su hijo y cómo mantener este interés.
- La madre generalmente tiene más tiempo para tener sesiones individuales con su hijo que el maestro en un salón de clases.
- La madre puede planear el seguimiento y la continuidad más acertadamente de forma diaria.
- La madre puede organizar actividades diarias y semanales de aprendizaje de idioma que sean apropiadas para el niño.
- La madre, por lo regular, tiene más paciencia para escuchar.
- La madre puede influenciar la actitud de su hijo hacia las culturas y las personas. Las actitudes de la familia pueden ser diferentes a las actitudes de la escuela o de los compañeros de clase.

¿Se siente feliz el niño de aprender de su madre?

- Un niño está acostumbrado a aprender de sus padres. Este aprendizaje ocurre sin que el niño esté consciente de que está aprendiendo.
- Un niño se siente confiado de aprender de sus padres en la casa.
- Un niño sabe que su familia está interesada en lo que él hace y quiere que tenga éxito. Esto le da la seguridad que necesita

para enfrentar en ocasiones a sus compañeros de clase cuando se burlan del aprendizaje de otro idioma.

- El aprendizaje se puede adecuar a las necesidades del niño. Él puede aprender cuando lo desee.
- El aprender juntos, le puede brindar al niño la oportunidad de confirmar el cariño de sus padres, de observar su interés, su apoyo y su reconocimiento.

¿Cuáles son los objetivos de los padres?

- Asegurarse de que el aprendizaje de un idioma sea divertido para ambos.
- Despertar el interés en el otro idioma y en la otra cultura.
- Proporcionarle al niño el idioma que necesita y que puede usar.
- Averiguar las formas de continuar este aprendizaje más allá del hogar y de la escuela.

Posibles logros y beneficios para el niño

A corto plazo

Como resultado de compartir, su niño deberá:

- aumentar su habilidad de concentración;
- aprender de usted cómo estudiar y buscar información;
- lograr autoconfianza;
- tener una actitud más positiva hacia el aprendizaje.

A largo plazo

Como resultado de sus esfuerzos y apoyo continuo, su niño podrá:

- desarrollar interés y satisfacción duraderos en aprender otros idiomas;
- desarrollar una actitud positiva y sensible hacia otras culturas y sus gentes;

- comprender mejor los idiomas y cómo estos comunican necesidades, ideas, etc.
- comprender y ser capaz de usar su propio idioma mucho mejor;
- aumentar su conocimiento general;
- aumentar su autoestima.

Preguntas que hacen los padres

¿Interferirá esto con el aprendizaje de mi hijo en la escuela?

Los resultados muestran que el niño que maneja dos idiomas tiene una ventaja a largo plazo porque:

- analiza su idioma materno de una forma diferente al aprender otra gramática;
- mejora sus propias destrezas de aprendizaje;
- aprende cómo se debe aprender;
- añade otra dimensión a sus intereses;
- se vuelve más flexible y tolerante en su forma de observar las cosas;
- es más creativo en sus ideas y en las formas de solucionar los problemas.

¿Puedo ayudar, aún cuando no hablo bien el otro idioma?

El contenido del idioma es sólo una parte del conjunto de lo que se necesita para aprender otro idioma. Sus faltas en el lenguaje oral se pueden compensar con el uso de buenos medios audiovisuales.

Para tener éxito **su niño** también necesita:

- hora regular;
- paciencia;
- apoyo y reconocimiento.

Para tener éxito, **usted** debe entender:

- el papel que usted jugó al ayudar a su hijo a aprender su idioma materno;
- cómo los niños aprenden otro idioma.

Los niños aprenden por imitación. El primer acento que ellos escuchen en el otro idioma, se convertirá en su modelo. Sin embargo, los niños son flexibles y capaces de alterar su pronunciación para igualar los diferentes modelos que escuchan. De hecho, son capaces de hablar varios dialectos en su lengua materna (vea p. 31). Ellos pueden hacer lo mismo en el otro idioma. No los subestime y no los juzgue usando los estándares de los adultos.

Resumen

En la actualidad, ya está aceptada la influencia fundamental que tienen los padres en los logros del niño. Como se conoce bien, las familias que hablan mucho, desarrollan niños que se comunican bien y usan un vocabulario muy rico. Al ayudar a su niño a aprender otro idioma, encontrará que no sólo le abrirá nuevos horizontes a su vida, sino que hallará que le ha brindado una nueva dimensión a su familia. Las experiencias que trae el otro idioma las compartirán todos, incluso si sólo se trata de los sabores que tienen las nuevas comidas. Las expresiones del otro idioma, los chistes y las canciones pasarán a ser parte de las conversaciones familiares. Esto quizás le recuerde la forma en que compartían las expresiones y las experiencias propias de su familia cuando su hijo estaba aprendiendo su lengua materna.

CAPÍTULO DOS

Aprendimos nuestro propio idioma: cómo nos ayudaron nuestros padres

Para un niño, el aprendizaje de otro idioma no se diferencia mucho del aprendizaje del idioma materno. De hecho, gran parte de la tarea es la misma, debido a que hay procesos similares en ambos. Por este motivo, es vital entender cómo hizo su hijo para aprender su idioma materno y cómo usted lo ayudó. Quizás usted no se ha dado cuenta de que sin usted, su hijo no hubiera aprendido a hablar tan fácilmente.

Quizás usted no se haya dado cuenta de que cuando cuidaba a su niño, también le estaba ayudando a aprender a hablar. De hecho, usted estaba vinculada estrechamente al proceso de aprendizaje de su hijo. Al proporcionarle cosas que hacer y al conversar con él de lo que estaba haciendo, lo estaba ayudando.

Cuando lo llevó a darle comida a los pájaros en el parque, ¿recuerda cuánto le hablaba al mismo tiempo que preparaba el pan para los pájaros? Al llegar al parque, le explicó dónde se debía tirar el pan y su hijo repitió sus palabras con gran entusiasmo. Lo que usted hacía inconscientemente, jugó un papel fundamental en el desarrollo lingüístico y mental de su hijo, ya que el aprendizaje de un idioma va unido a aprender acerca de las cosas.

APRENDIMOS NUESTRO PROPIO IDIOMA: CÓMO NOS AYUDARON NUESTROS PADRES

Los niños aprenden al hacer algo. Ellos aprenden el idioma al jugar un papel activo en algo que les interese y que sea apropiado para su edad y sus habilidades. Los adultos le llaman jugar, pero para el niño, el juego es una actividad seria, parecida al trabajo. En la mente del niño no existe diferencia entre el trabajo y el juego, hasta que aprende esta diferencia de los adultos o de otros niños.

Recuerde cuando su hijo tenía cuatro años y se entretenía en hacer cosas y le contaba acerca de las mismas. Primero, su hijo trataba de entender lo que hacía y luego trataba de ponerle palabras a lo que estaba haciendo. Su hijo estaba interesado en lo que estaba haciendo y usted le amplió el conocimiento y el lenguaje al hablarle de esto.

—*No puedo abrir la botella —dijo mientras trataba de destapar un pomo plástico.*
—*Dale una vuelta hacia acá —le dijo el papá, al tiempo que imitaba cómo hacerlo.*
—*No puedo. No da vuelta.*
—*Fíjate, intenta de nuevo. Dale vuelta en sentido opuesto a ti. De esta forma —le dijo el padre al tiempo que imitaba lo que hacía.*
—*Lo logré.*

Usted le habló en forma fácil de entender. Al mismo tiempo, aumentó su uso del lenguaje. En ese momento, su hijo aprendió lenguaje nuevo.

Con frecuencia era difícil lograr que parara de jugar. Su hijo estaba totalmente metido en la situación y estaba concentrado con gran intensidad en lo que estaba haciendo. En esos momentos, no había una enseñanza directa de lenguaje. Usted no lo detuvo para hablarle de reglas gramaticales. Usted no le dijo que esto es un verbo y lo otro es un nombre. Él estaba descubriendo las reglas del lenguaje a través del uso del lenguaje.

Por qué el aprendizaje depende de su colaboración

Casi todas las conversaciones con un niño le proporcionan la oportunidad de aprender a hablar, así como de aprender a través del uso de la conversación.

Es a través de la conversación que el padre explica la forma como él ve el mundo. Es a través de la conversación, que el niño descubre el mundo.

—*Ómnibus* —*dice la niña de 18 meses.*
—*El ómnibus* —*le confirma la madre.*
—*Ómnibus* —*reflexiona la niña.*
—*Sí, un ómnibus grande* —*le dice la madre.*
—*Ómnibus grande* —*repite la niña.*

En este diálogo corto, la niña aprendió acerca del lenguaje; acerca del artículo *el* (a pesar de que no lo captó ni lo usó en esta etapa) y del adjetivo *grande* y que este se coloca después de la palabra *ómnibus*. También aprendió que su madre considera que el ómnibus es grande y no pequeño. Aprendió acerca de tamaños. Ya ella había escuchado la palabra *grande*, pero no la había usado anteriormente.

Mucho de lo que los niños saben, lo han aprendido de conversaciones en las que han participado. Captar tanto la información como el lenguaje depende de la interacción entre el niño y el adulto. Es como si dos personas se estuvieran tirando una pelota. El lenguaje pasa del uno al otro a través de conversaciones. Al pasar, el padre y el niño analizan lo que se quiere decir. Para lograr que ambos entiendan lo que se quiere decir, quizás tengan que pasarse la pelota unas cuantas veces.

Algunas veces quizás sea el niño quien lance la pelota primero para iniciar la conversación, y otras veces será el padre quien lo haga. La mayoría de los padres busca la oportunidad de iniciar conversaciones con sus hijos pequeños. Los padres tienden a usar más preguntas que cuando conversan con adultos. Pero no usan preguntas como

"¿Es grande?", que sólo se puede responder con un *sí* o *no*. Ellos saben que este tipo de preguntas no conduce a una conversación larga.

—Se acabó —dijo Tomás, de dos años y medio de edad.

—Sí, se acabó tu galletita —le repondió su mamá—. Te la comiste.

—El carro no está.

—Sí, el carro no está. Papá se fue a trabajar.

—Papá se fue —continuó Tomás.

—Sí, papá se fue en el carro.

—Adiós, papá.

En esta conversación, la madre confirma y desarrolla lo que dice el niño, y al hacerlo, inconscientemente lo está ayudando a aprender. El niño muestra su habilidad innata de transferir el lenguaje y lograr estirar el poco lenguaje que sabe. Esta habilidad se extiende hasta la vida adulta. ¿Ha tratado alguna vez de estirar las pocas frases que conoce en otro idioma para entenderse en el hotel, en la tienda o en el tren cuando está viajando en el extranjero?

El grado de colaboración y la calidad de la conversación influyen grandemente en la rapidez del desarrollo del lenguaje del niño. Muchos padres, especialmente las madres, intuitivamente saben cómo hablarles a los niños de forma especial que facilita el aprendizaje del lenguaje. Estas habilidades de lenguaje a veces se conocen como "técnicas de idioma materno". Si usted ha olvidado cómo usar estas técnicas, trate de sentarse cerca de una madre joven con su niño en el ómnibus, o póngase detrás de ellos en la fila para pagar en el supermercado. Logrará reconocer muchas de estas habilidades.

¿En qué consisten las técnicas de idioma materno?

Además de la empatía natural entre padre y niño y el deseo de los padres de ayudar en el desarrollo de su hijo, los padres saben qué es lo mejor para su hijo. Ellos actúan como la extensión de su hijo. Los padres están sensibilizados a las necesidades de su hijo, y sus antenas se enfocan hacia el deseo de comunicación de su hijo. Ellos captan la más mínima señal, que en otros pasa desapercibida. Esto, junto con el conocimiento íntimo que tienen del nivel de desarrollo y de interés de su niño, le sirve de ayuda a los padres para interpretar lo que el niño está tratando de decir.

La conversación comienza del punto donde se encuentra el niño y se desarrolla a partir de ahí. El padre con frecuencia le responde al niño lo que éste quiere saber. De esta forma, el niño puede comprobar que tenía razón para entonces volver a usar el lenguaje en forma más refinada. Inclusive si el niño empieza con una sola palabra, la madre intuitivamente sabe a qué nivel lanzar la respuesta. Usando las técnicas de idioma materno, la madre aumenta la conversación gradualmente.

—*Verde* —*dice el gemelo de dos años a medida que empuja el cochecito de juguete.*
—*Sí, este es verde, ¿verdad?* —*añade la mamá.*
—*Azul* —*continúa, al referirse al cochecito azul que empuja su hermano gemelo.*
—*Sí, así es, su cochecito es azul.*
—*Azul, verde.*
—*Sí. Tenemos dos cochecitos, uno azul y otro verde* —*continúa la mamá.*

La mayoría de los padres usa técnicas de idioma materno sin darse cuenta. Ellos le hablan a sus hijos o a cualquier otro niñito de esta forma y entonces se dirigen al adulto que acompaña al niño y le hablan como adulto. Los padres raramente cometen el error de usar el nivel equivocado.

A través del uso de las técnicas de idioma materno, los padres intuitivamente animan a sus hijos a adquirir lenguaje y vocabulario más complejo. Ellos amplían el significado, lo que estimula al niño a pensar y comunicar más ideas. Los padres logran que sus hijos hablen. Otros adultos no pueden lograr lo mismo a no ser que también usen técnicas de idioma materno.

Cómo usan las técnicas de idioma materno

* Los padres automáticamente hablan más despacio y pronuncian más claramente, pero sin distorcionar la forma en que dicen las palabras y sin alterar el ritmo de lo que dicen. Compare esto con la forma en que muchas personas mayores alteran su conversación al hablarle a extranjeros que no entienden el idioma. Algunos gritan, lo cual no ayuda mucho. Otros aislan las palabras en forma artificial.

* Los padres pueden poner énfasis en una palabra difícil al acompañarla con un gesto u otro lenguaje corporal.

* Ellos tienden a usar una voz más suave, más afectuosa y en un tono más alto. Piensan que es más fácil escuchar una voz con un tono más alto.

* Con frecuencia se detienen al final de una oración para darle la oportunidad al niño de repetir una respuesta.

* Ellos pueden detenerse con más frecuencia para cerciorarse de que el niño ha escuchado y entendido antes de continuar. Ellos saben que no tiene sentido continuar si el niño no ha entendido.

* Los padres usan lenguaje real. Ellos pueden incluir algunas de las palabras del niño o palabras de la familia, pero no usan lenguaje infantil de forma continua ni lenguaje incorrecto.

* Al hablar, de forma natural e inconscientemente:

  —repiten lenguaje;

  —dicen el mismo mensaje en otras palabras:

  > —*¿Dónde está la media? —le pregunta un padre a su hijo de cuatro años.*
  >
  > —*No lo sé.*
  >
  > —*¿Puedes ver la media? —le dice al padre en otras palabras—. ¿Dónde está la media?*
  >
  > —*No.*
  >
  > —*Mira. Allí está la media. Allí, en la silla.*

  El padre del niño presenta una estructura alternativa para expresar el mismo significado y lo sigue al repetir la pregunta original;

—amplían el lenguaje:

—*Cartera.*

—*La cartera de mamá. Sí, esa es la cartera de mamá. La cartera grande de mamá —añade la mamá.*

—*Cartera grande —le contesta la hija de dos años.*

—simplifican el lenguaje complejo. Al hacer esto, bajan el lenguaje al nivel del niño. Los padres hacen esto cuando relatan un cuento ilustrado, en vez de leer el difícil y largo texto impreso;

—usan oraciones cortas y menos complejas que se enfocan en lo que es familiar al niño;

—usan la voz en formas especiales: alteran el tono o la velocidad para añadir suspenso o susto; ponen énfasis en parte de una frase para mantener la atención; usan el tono y gestos faciales para indicarle al niño que debe repetir;

—usan más lenguaje corporal que cuando le están hablando a adultos. Usan brazos y manos para enfatizar algo. Con frecuencia acercan su cara a la del niño y exageran los movimientos de los labios para ayudar al niño a entender;

—usan ejemplos precisos y cosas reales para ayudar en la comprensión.

Por qué es vital la interacción para el aprendizaje del lenguaje

La interacción le proporciona al niño:

- una experiencia en la que se usa y aprende lenguaje;
- un contenido que se puede aprender.

Regrese a la interacción del gemelo y su mamá en la página 24. No sólo aprendió lenguaje, también aprendió que tenían dos cochecitos, uno azul y uno verde. A través de la interacción en conversaciones con técnicas de idioma materno, el aprendizaje ocurre naturalmente. A su propio paso, el niño desarrolla fluidez.

APRENDIMOS NUESTRO PROPIO IDIOMA: CÓMO NOS AYUDARON
NUESTROS PADRES

El grado de fluidez depende grandemente de la calidad de la interacción. Cuando uno de los interactuantes sólo oye, pero no escucha correctamente, la calidad de la respuesta quizás no le proporcione al niño la oportunidad de aprender. Un mero reconocimiento —tal como *mm* o una sola palabra como *sí* o *no*— no ofrece ningún motivo para que siga la reciprocidad.

Hay una diferencia importante entre oír y escuchar. El oír involucra recibir y comprender sonidos. Escuchar tiene más que ver con prestar atención y hallar significado a algo que se puede escuchar. De hecho, escuchar conlleva hacer un esfuerzo consciente. Para que se pueda dar una buena interacción, el que escucha debe grabar exactamente lo que se dice. Algunas personas son mejores oyentes que otras. Los padres se acostumbran a prestarles atención a sus hijos y a convertirse en buenos oyentes. La comunicación con los niños depende de escuchar atentamente el lenguaje, así como de buscar información callada y combinar ambos con intuición paternal. El contacto visual entre el niño y el padre es parte importante de escuchar y comprender.

En los casos en que los niños tienen oportunidades escasas de intercambio recíproco o de mala calidad, no hay un desarrollo rápido o bueno del lenguaje. Por ejemplo, algunos padres que usan para el cuidado diario de sus hijos a *au pairs* o personal doméstico de habla extranjera, se sorprenden de que después de un año, el lenguaje de sus hijos casi no haya aumentado. La razón es muy sencilla. Los adultos que cuidan a los niños no conocen las técnicas del idioma materno por lo cual no pueden ayudar a los niños a desarrollar su lenguaje.

Los padres continúan usando las técnicas de idioma materno aún cuando sus hijos ya hablan bien. Dependiendo de la edad de sus hijos e inclusive del estado de ánimo en que se encuentren, los padres ajustan la cantidad y el tipo de técnicas de idioma materno que usan para complementar las necesidades inmediatas de sus hijos.

Las técnicas de idioma materno son innatas en los adultos. La mayoría de los adultos las usan automáticamente, sin importar el idioma, cuando le hablan a un niño pequeño. Los maestros que trabajan bien con niños pequeños, usan estas estrategias en una variación llamada técnicas de lenguaje magisterial.

Cómo se desarrolla el lenguaje

Existen tres etapas de desarrollo:

Etapa 1	El **período silente**
Etapa 2	El **período intermedio**
Etapa 3	El **avance repentino**

La segunda y la tercera etapa ocurren juntas por un tiempo hasta que los niños llegan a hablar con fluidez.

El período silente

La comunicación entre un bebé y los adultos ocurre desde el nacimiento. Al principio, la comunicación del bebé es sin el uso de palabras. ¿Se recuerda cuando su bebé le hacía saber que quería comer? Durante este período de desarrollo silente, sin el uso de palabras, los niños están aplicando en silencio el lenguaje que oyen en su propio mundo. Al mismo tiempo, están tratando de entender apresuradamente las categorías básicas del lenguaje. Ellos se actualizan continuamente, ajustándose a la nueva información que adquieren. Este ajuste continúa a través de la vida del niño hasta que sus destrezas de lenguaje alcanzan las del mundo adulto. Los niños saben instintivamente cómo aprender el lenguaje. Es como si ellos tuvieran un programa guiado de forma innata que ya está listo para pasar por los mismos procesos, sin importar de qué idioma se trate.

Los niños avanzan a su propia velocidad. No se les puede apurar para que salgan del período silente. Cuando ya ellos han acumulado una reserva de categorías y sistemas y han descifrado cómo usarlos para producir lenguaje, de pronto, de un día para otro, empiezan a hablar.

Los padres o hermanos pueden extender el período silente artificialmente al imaginarse las necesidades del niño y responder todas las preguntas por él.

APRENDIMOS NUESTRO PROPIO IDIOMA: CÓMO NOS AYUDARON NUESTROS PADRES

Madre: —*¿Dónde está tu osito de peluche?*
Hermana: —*Está sobre la mesa de la cocina.*
Hermana menor: —*Yo lo traigo. Espera aquí, Juan.*
Así que Juan de tres años de edad espera sin decir nada hasta tener el osito de peluche en sus manos. Él sonríe, pero no expresa agracedimiento alguno.

En situaciones como esta, el niño nunca tiene motivo para comunicarse. A él le dan toda la información que necesita. No hay un paréntesis significante en la información para que se efectúe la comunicación. Él expresa sus deseos y sentimientos a través del lenguaje corporal. Cualquier oportunidad para participar en la conversación está bloqueada por su familia, que responde antes de que él tenga la oportunidad. Un bloqueo parecido puede ocurrir con niños mayores, si los padres contestan ansiosamente todas las preguntas que los visitantes les hacen a los niños.

El período intermedio

La alegría y el orgullo que muestran los padres cuando sus bebés balbucean sus primeros sonidos parecidos a palabras como papá o mamá es contagioso. ¿Se acuerda de su entusiasmo cuando le contó a sus parientes y amigos que su niño había empezado a hablar? Esta muestra de entusiasmo es importante para el niño, ya que lo motiva a tratar de seguir hablando. Le hace comprender que hablar es una forma de darle felicidad a sus padres y que estos se sientan complacidos con él. Esto es algo que el niño quiere hacer.

A medida que el niño pasa de usar una palabra a usar dos, los padres notan que el niño comienza a:

- reducir las oraciones a dos palabras con mucho sentido:
  "El perro está en el jardín", se reduce a *"perro jardín"*.
  El niño ha unido las dos palabras clave y posiblemente las únicas palabras que comprende de lo que le escucha a sus padres. Él excluyó "el", "está", "en" y "el", que no son fundamentales para la comprensión.

- cortar el final de las palabras:

    "Los perros están ladrando", se reduce a "perro ladra".

    La mayoría de los padres sabe cómo descifrar lo que realmente quiere decir el niño. Lo que está pasando en el lugar y en el momento, junto con las claves de los gestos y la forma de acentuar las palabras, brinda una ayuda extra.

- hacer preguntas. Quizás empiecen con palabras interrogativas:

    "¿Dónde pelota?" "¿Qué eso?"

    o al terminar con un tono alto de pregunta:

    "¿Yo voy?" "¿Gato silla?"

    Los niños continúan durante mucho tiempo cambiando declaraciones ordinarias a preguntas, las que terminan en un tono alto:

    "¿Salir afuera?" se usa en vez de "¿Vas a salir afuera?"

Este tipo de lenguaje interino es común en esta etapa del desarrollo. Los padres están acostumbrados al mismo, y le contestan con la versión completa de lo que dijo el niño. El niño quizás repita la versión completa nuevamente antes de que la conversación continúe. De esta forma, el niño adquiere práctica en escuchar y usar el lenguaje.

Los niños son diestros en captar bloques de lenguaje ya compuesto, lo que se llama con frecuencia frases prefabricadas. Ellos lo imitan perfectamente, sin tener idea de cuántas palabras contiene o saber nada acerca de la gramática:

Para eso.   No quiero ir.   No sé.   La hora del baño.

A medida que sus habilidades lingüísticas se desarrollan, los niños empiezan a usar parcialmente frases prefabricadas: ellos incorporan lenguaje acerca de algo que están haciendo en ese momento a parte de frases que ya conocen:

"Dame las tijeras" pasa a ser "Dame la pasta" o "Dame el pegamento".

El avance repentino

Ya a los tres años, la mayoría de los niños está comenzando a crear su propio lenguaje. Crean oraciones correctas de tres o cuatro palabras juntas. Son capaces de una conversación bastante elaborada. Ya no omiten palabras como *en*, y, *a* o los artículos *el* y *un*.

La habilidad de hablar se desarrolla de forma predecible. El mismo programa preestablecido parece seguirse sin importar la procedencia cultural del niño. El lenguaje que crea el niño comienza a sustituir el lenguaje prefabricado. Los errores del lenguaje interino son menos frecuentes.

A los seis años, se piensa que un niño ya entiende unas 4,000 palabras, a pesar de que no necesariamente las use. Él puede hablar en oraciones completas y usar la mayoría de la gramática correctamente, incluyendo los tiempos verbales futuro y pasado. A los seis años, la mayoría de los niños ya entiende lo que representa el escribir y muchos ya estarán leyendo. Esto significa que muchos entienden la diferencia entre el lenguaje escrito y el hablado.

A los seis o los siete años, muchos niños ya se pueden comunicar usando más de una forma de su propio lenguaje. Para muchos, esto quiere decir que se pueden comunicar en el lenguaje que usan en casa y también en el lenguaje que usan en el parque, si es que ambos son diferentes. Los niños que se pueden comunicar en dos tipos de lenguaje generalmente saben cuándo y dónde deben usar cada una de las formas de lenguaje. Ellos raramente cometen el error de dirigirse a sus abuelos en el lenguaje que usan en el parque. ¡Saben que a los abuelos no les gustará! Para gran sorpresa, algunos padres no saben que sus hijos también pueden hablar el lenguaje del parque. Se enteran de casualidad un día cuando llegan desprevenidamente al parque. A menudo, ¡no pueden creer lo que están oyendo!

A los siete o los ocho años, es difícil hallar alguna diferencia entre la forma que hablan los padres y la forma en que hablan sus hijos. Por supuesto que el vocabulario del niño no será tan amplio y los temas de coversación no serán los mismos, pero las estructuras que usan para hablar serán las mismas. Y también lo serán los tonos de voz. A medida que los niños crecen, ¿con qué frecuencia los confunden con sus padres por teléfono?

¿Cómo se desarrolla la comprensión?

Los niños desarrollan la comprensión rápidamente. Pero, al igual que los adultos, entienden más palabras de las que pueden decir.

A los 18 meses, los niños comienzan a comprender instrucciones. ¿Recuerda usted que cuando vestía a su niño, le decía —Mete el brazo por—, o en un tono diferente de voz le decía —No hagas eso? El niño comenzó a entender instrucciones simples porque estaban conectadas a cosas que eran parte de su rutina diaria. Probablemente lo que usted decía iba acompañado de lenguaje corporal. Mientras usted decía —Dile adiós a papá—, movía la mano para indicarle lo que debía de hacer.

A medida que pasó el tiempo, el niño aprendió a seleccionar las palabras clave de lo que usted le decía, y a adivinar el resto. Esta habilidad de comprender la sustancia, en otras palabras, rellenar los huecos entre las palabras que se conocen, es un paso importante en el aprendizaje de todos los idiomas.

La mayoría de los padres estructuran naturalmente todo lo que dicen en forma que ayuda a sus hijos a desarrollar la comprensión de lo sustancial. El ejemplo siguiente muestra cómo en el transcurso de varias semanas el padre ajustó el lenguaje y el contenido de las intrucciones para ajustarse al desarrollo de la habilidad de comprensión de su hijo.

Etapa 1 —Ponlo aquí. (*al tiempo que le daba el libro y le indicaba la mesa*)

Etapa 2 —Pon el libro aquí. (*indicándole la mesa*)

Etapa 3 —Pon el libro en la mesa.

Etapa 4 —Pon el libro en la mesa y ve a la cocina.

Este padre ayudó a su hijo a comprender cómo poner en secuencia lo que le decía. A medida que su hijo entendía más el lenguaje, usó menos claves de lenguaje corporal. Lo más posible es que el niño sólo entendió palabras clave como pon, libro, mesa y cocina. Parece que los niños tienen la habilidad de cernir el lenguaje que es importante para ellos.

Los padres intuitivamente perciben cuándo han dicho algo que está más allá de la comprensión de su hijo. Cuando ellos notan esto dirán la cosa de nuevo, pero esta vez usando un lenguaje que su hijo ya conoce. De esta forma le están ayudando a reconocer que ambas formas significan lo mismo.

La importancia de la motivación

La **motivación** es esencial para cualquier aprendizaje, incluyendo el aprendizaje de un idioma. El reconocimiento y el apoyo ayudan a motivar. Es el reconocimiento del éxito de haber hecho algo y no de saber hablar. Está dado por sentado que el aprendizaje del idioma nativo es algo programado congénitamente. El niño tiene su propia dirección interna y aprender a hablar sucederá a su tiempo con la ayuda de los padres.

Los niños, especialmente cuando se hacen mayores, necesitan motivación si se quiere que hagan cosas nuevas. Haciendo cosas nuevas es cuando usan el lenguaje de forma interactiva. Si no están motivados a hacer algo, sus destrezas de lenguaje no aumentarán, y sin estas destrezas, no podrán aprender a su potencial máximo.

Los niños aprenden rápido a discernir cómo se sienten los padres y a saber cuándo y cómo los pueden complacer para lograr reconocimiento de ellos. El reconocimiento no es lo mismo que el apoyo, pero ambos sirven para motivar. El reconocimiento es algo que se da por algo que se ha completado con éxito: "Muy bien", "Eso está bien", "Me gusta eso", "Eso está muy bien". El apoyo se brinda cuando el niño está haciendo algo. Tiene el objetivo de ayudar a que algo se logre exitosamente: "Intenta de nuevo. Creo que esta vez lo lograrás hacer", "Un poquito más y ya lo terminas". Ambos son importantes, pero el reconocimiento no debe ser rutinario. Los padres sabios saben cuando se amerita y los niños también lo saben. Si los niños se acostumbran a recibir reconocimiento por todo, se pueden sentir desilusionados si usted olvida darles más. Esto puede quitarles la motivación.

A pesar de que el reconocimiento y el apoyo no se brindan para ayudar a los niños a mejorar sus habilidades de lenguaje hablado en su idioma materno, sí se ofrecen casi siempre para motivarlos a aprender otro idioma.

Los mejores momentos para aprender

Cada niño es un individuo y cada niño aprende de forma diferente. Estudios recientes demuestran que las niñas aprenden y usan el lenguaje de forma más fácil que los niños.

La mayoría de los niños pequeños tienen una energía interna para explorar y averiguar. Tienen períodos en los que aparentan tener más interés y capacidad para aprender que en otros momentos. Durante estos períodos de aprendizaje intenso se concentran y alcanzan toda su capacidad. Estos períodos pueden durar horas o días, dependiendo del niño en cuestión. Una vez que pasa este período, todo regresa a la normalidad. A pesar de estar cansado por este esfuerzo, el niño se siente obviamente satisfecho por su logro.

Una niña de cinco años decidió que quería aprender a escribir. Ella quería, a toda costa, escribir como lo hacía su hermano, que era dos años mayor que ella. Durante cinco días practicó la escritura de las letras del alfabeto en cualquier momento libre que tenía, molestando a los adultos para que le explicaran cómo se escribían las letras o para que revisaran si las estaba haciendo correctamente. Ya en la quinta noche, ella estaba copiando el texto del libro de lectura de su hermano.

*Una sonrisa de satisfacción iluminó su cara cuando su padre le dijo:
—Muy bien. Tienes una letra muy bonita. Pero ése es el libro de lectu-
ra de Ricardo. —Sí, lo sé —ella respondió. Ella logró lo que quería.
Ahora podía descansar.*

El aprendizaje sólo ocurre cuando el niño se concentra. El intervalo
de atención que brinda un niño es corto, pero flexible. Todo depende
del estado de ánimo y la calidad de la interacción, así como de la
correspondencia entre la actividad y el interés del niño y su habilidad.
Los niños pierden interés enseguida si algo es muy difícil para ellos
o no lo pueden entender.

Los padres saben cuándo su hijo se está concentrando de verdad.
El contacto visual es una de las formas de mantener la atención. Los
padres saben que una vez que los ojos del niño empiezan a mirar para
otros lados, está perdiendo su concentración. ¿Cuántas veces ha tratado usted de recuperar la atención de su hijo cuando se ha perdido?
Con niños muy chiquitos, lo mejor es rendirse y cambiar de actividad
si se ha perdido la concentración.

Errores

Hasta que los niños comienzan a leer, tienen muy poca idea de lo que
son las palabras. Mayormente no saben cuántas palabras pueden
haber en lo que ellos dicen. Ellos escuchan una corriente de sonidos
que están divididos en grupos, más que en palabras.

Cuando le pidieron que escribiera ¿Qué haces?, un niño de seis
años escribió
¿ke a ces?
Él pensó que escuchó tres palabras, así que lo escribió de esa forma.

El lenguaje está gobernado por sistemas que lo hacen comprensi-
ble. Los niños tienen la habilidad de analizar el lenguaje que escuchan
y descifrar los sistemas que lo gobiernan. Los adultos les llaman a
estos sistemas *gramática*. Entre las edades de tres y cuatro años, los

niños están evidentemente tratando de resolver el rompecabezas del sistema del idioma español. Esto lo evidencian los errores que cometen de vez en cuando cuando generalizan una regla. Así que una niña de cuatro años podría decir:

"¿Dónde va mi mamá ayer?"	(*verbo fue*)
"¿Qué tomas ayer?"	(*verbo tomaste*)
"Dos buey"	(*un buey, plural bueyes*)
"Mucho grande"	(*muy grande*)

Lo que ella hace es lógico. Está aplicando algo regular a cambios verbales, de número y de partes del habla. El uso de *va, tomas, buey* y *mucho,* muestra que ella está tratando de descifrar los sistemas por sí sola, ya no sólo copiando lo que sus padres dijeron.

Los niños suponen que los adultos van a entender lo que ellos dicen. Los padres están acostumbrados a esto, y para ellos lo que se dice —el significado que se está tratando de dar— es generalmente más importante que cómo se dice. Ellos no regañan o corrigen al niño diciendo "Cometiste un error", o "Eso está mal". Si lo hicieran, inhibirían al niño. Ellos ni se molestan en detener la conversación; lo único que hacen es refrasear lo que dijo el niño como parte de la conversación. La próxima vez que el niño use la palabra, ya la habrá corregido.

La corrección que hacen los adultos tiene muy poco valor. Lo que el niño descifra por su propia cuenta es lo que recuerda. Lo que el adulto le dice, generalmente lo olvida. Cuando un error persiste, no se gana nada con tratar de corregirlo demasiadas veces. El niño lo corregirá y lo ajustará al modelo del adulto en su propio plazo.

La niña de cuatro años continuó diciendo "¿Dónde va mi mamá ayer?" durante siete meses. No se le hizo ninguna corrección, ya que la niña corregía sus propios errores, ajustando su lenguaje al de sus padres. Su padre continuaba contestándole la pregunta al repertirla en la forma correcta y entonces contestándosela.

"¿Dónde fue tu mamá? Ella fue al mercado con la tía Mireya".

Estas formas son una fase normal en el desarrollo del lenguaje del niño. Es una desdicha que los adultos los consideren errores.

Juegos con el lenguaje

A los niños les encanta jugar con el lenguaje. A través del juego con el lenguaje, los niños aprenden más acerca de sus sonidos y de los sistemas que lo componen.

A ellos les gusta hilar palabras que riman; palabras reales o inventadas.

Palabras reales   **Palabras inventadas**
calle   valle   talle   lalle   salle   malle

o el reemplazar las vocales en las palabras:

"Yo te daré" se reemplaza por "Ya ta dará" y luego por "Ye te deré" y así sucesivamente.

El grado en que ellos puedan jugar con el lenguaje, está ligado a su habilidad general de usar el lenguaje y de su familiaridad con rimas, poemas, cantos y canciones.

Preguntas que hacen los padres

<u>"¿Tienen más destreza para hablar las niñas que los niños?"</u>

Las niñas generalmente, aprenden a hablar antes que los niños, a pesar de que al llegar a los tres años, los niños se empatan con las niñas. Al ponerse mayores, las niñas, en general, tienen un mejor dominio del lenguaje que los niños. Indudablemente, las niñas hablan más en la clase y con su familia y amigas. La mayoría de las niñas no parece tener inhibiciones cuando se trata de usar el lenguaje. El hablar parece ser más importante para ellas, y a través del habla, desarrollan su habilidad para usar el lenguaje y aumentar su vocabulario. Los niños no parecen necesitar hablar tanto como las niñas. Por lo regular, una oración basta para decir todo lo que quieren expresar.

"¿Es cierto que el niño mayor es el que habla con más fluidez?"

Eso depende de muchas cosas, incluyendo la propia personalidad del niño, la vida familiar y el género.

El primogénito comparte más tiempo con ambos padres él solo. Esto significa que hay más tiempo para interactuar, no sólo a través de la conversación, pero además con los libros. El segundo y tercer niño tiene que compartir el tiempo de los padres, por lo que recibe menos atención individual y oportunidades para conversación individual. Lo mismo ocurre con gemelos o trillizos. Los hijos únicos tienen el mismo privilegio del primogénito en una familia, con la diferencia de que este privilegio dura toda la niñez.

Resumen

Las destrezas de lenguaje se pueden desarrollar. Sin embargo, esto requiere tiempo, paciencia y esfuerzo por parte de los adultos que están a cargo de los niños. Si las familias no están acostumbradas a emplear tiempo para hablarse entre sí, los niños no se acostumbrarán a ver y a escuchar a los que los rodean usando el lenguaje como forma de comunicación. Los niños que crecen en familias con experiencia lingüística restringida, tienden a su vez a tener mala habilidad lingüística.

El lenguaje es fundamental para todo tipo de aprendizaje. Se entiende generalmente que mientras mejor sean las habilidades de lenguaje del niño en su idioma materno, más capacitado estará para aprender y usar otro idioma. Los niños están dotados de habilidades lingüísticas innatas que (se piensa) son diferentes de su inteligencia general. Que un niño pueda ser un niño especial, con necesidades educacionales especiales, no significa que no hallará en el aprendizaje de otro idioma una experiencia grata, enriquecedora y útil.

CAPÍTULO TRES

¿Cómo es que los niños aprenden otro idioma?

La mayoría de las dificultades para aprender otro idioma existe en la mente de los adultos. El aprendizaje de otro idioma no resultará difícil para su niño si usted duplica algunas de las condiciones que resultaron exitosas cuando su hijo estaba aprendiendo su idioma materno. Estas condiciones incluyen recrear el mismo ambiente de apoyo para hablar de todo lo que pasa. Muchos adultos subestiman la habilidad de los niños para captar los idiomas. Esto se puede deber a que muchos adultos no entienden cómo los niños aprenden los idiomas y otro idioma en particular. Algunos se imaginan que los niños aprenden otro idioma de la misma forma que lo aprenden los adultos, pero más despacio y con un contenido modificado con imágines infantiles. Otros se piensan que el papel del adulto es de tutor. Esto puede funcionar con materias como historia y ciencia, pero los niños no aprenden los idiomas así.

El aprender un idioma es una cosa que los niños chiquitos saben hacer naturalmente. Ellos lo pueden hacer si los adultos los dejan y no los detienen. Ellos ya tuvieron la buena experiencia de aprender su idioma materno, y de hecho, algunos aún lo siguen haciendo. Ellos descifraron las estrategias de aprendizaje de su idioma materno. Ellos saben cómo analizar el lenguaje para conocer los sistemas que lo gobiernan. Ellos pueden usar estas mismas estrategias de nuevo para aprender otro idioma y ellos disfrutan de hacerlo, si les damos suficientes oportunidades divertidas e interesantes para interactuar con nosotros.

Para empezar, ellos querrán aprender el lenguaje hablado de la misma forma que aprendieron su lengua materna. El tiempo que ellos tomen con el lenguaje hablado dependerá de la rapidez con que progresan. Una vez que puedan decir cosas sencillas, aquellos que ya leen bien en su lengua materna, querrán, naturalmente, saber cómo leer y escribir en el otro idioma (vea el capítulo 7).

Las ideas de los niños acerca del aprendizaje de otro idioma

En la mente de los niños, el aprender otro idioma no es una asignatura. No es algo que se aprende aisladamente, a pesar que así aparezca en el programa de la escuela o en la forma en que los adultos se refieren al mismo. Incluye taller, canto, ciencia y matemática; es parte de todas las materias.

La madre dice, —No te olvides que tienes alemán después de clases hoy.
—¿Qué hiciste en español hoy? —pregunta el papá.

Para los niños, todos los idiomas —el materno u otro idioma— están incluidos en el aprendizaje diario de la vida. Es parte del desarrollo holístico.

A los niños les interesa las diferencias entre los idiomas. Desde una edad temprana, parecen notar cuándo los adultos están hablando en otro idioma. Con frecuencia, captarán algunos de los diferentes sonidos del otro idioma y le dirán que suena así . . . balbuceando algunos de los sonidos. Los padres de nacionalidades distintas que usan técnicas de idioma materno en su propio idioma, se asombran de lo rápido que su bebé puede distinguir los dos idiomas.

Los niños se sienten orgullosos de exhibir sus destrezas lingüísticas. Muchas veces se les halla alardeando su habilidad de hablar otro idioma.

Juan, de cuatro años de edad, me dijo: —Yo puedo decir cebolla en tres idiomas: español, cubano e inglés. Y continuó: cebolla, con acento español, cebolla, con acento cubano y finalmente onion, en inglés. Él había vivido en Cuba y en España y tomó clases de inglés en kindergarten.

¿Cómo aprenden los niños otro idioma?

El caso de niños japoneses que van a Gran Bretaña con su familia y asisten a una escuela primaria americana, brinda un ejemplo claro de cómo los niños aprenden otro idioma. El mismo patrón básico ha ocurrido regularmente durante los últimos siete u ocho años con niños y niñas de seis, siete y ocho años de edad. Maestros de primaria americanos (muchos de ellos son padres también), que a pesar de no tener entrenamiento especial en la enseñanza de inglés como otro idioma, han dicho que ellos comienzan a reconocer este patrón común en el aprendizaje de otro idioma.

Los niños japoneses vienen a la escuela primaria americana:

- motivados para aprender;
- con la expectativa de que ellos pueden aprender. Ellos saben que sus padres y parientes esperan que tengan éxito. Ellos han oído hablar de o han conocido a otros niños japoneses que hablan inglés;
- con suficiente "lenguaje de supervivencia" para bandearse. Este consiste en palabras como *servicio, sí, no,* y algunas frases como *Me llamo Akiko*;
- con un sentido de seguridad, pues ya tienen una idea de lo que pueden esperar. Ellos han asistido a la escuela en su país y hay algunas similitudes. Ya han visitado la escuela americana y han conocido al maestro;

• sabiendo que sus padres los animan y los apoyan.

La primera semana en la escuela es difícil —más difícil para algunos que para otros. Dependiendo de la escuela y el grado de apoyo y ánimo que les brindan los padres hacia el aprendizaje de otro idioma, la mayoría de los niños japoneses se adaptan increíblemente rápido.

Período silente

La comunicación comienza desde el momento en que el padre deja al niño en la escuela. Los maestros de niños pequeños son expertos en usar el lenguaje magisterial —una forma modificada las técnicas de idioma materno. Esto fomenta la interacción, especialmente en las primeras semanas. A pesar de que estos niños japoneses casi no pueden hablar inglés, ya pronto pueden interactuar con el maestro y sus compañeros de clase a través de lenguaje corporal y especialmente del contacto visual. Ellos saben cómo comunicarse de esta manera. Ellos ya lo hicieron cuando eran más chicos al aprender su lengua materna. De hecho, estos niños están atravezando por un período silente parecido. Están muy ocupados participando en actividades escolares, copiando lo que hacen otros si no entienden y hablando muy poco. La rutina diaria de las actividades en el salón de clase requiere la repetición del lenguaje para poder facilitar la comprensión.

Como estos niños ya se pueden comunicar en su lengua materna, sus objetivos y necesidad de aprender otro idioma no son los mismos. Su madurez y comprensión de lo que los rodea y cómo funciona, significa que pueden avanzar más rápidamente por las etapas del aprendizaje del nuevo idioma. Ellos no tienen que averiguar lo que es algo antes de aprender lo que significa en el otro idioma. Por ejemplo, ellos no tienen que perder tiempo identificando cosas con una palabra: *libro, pupitre, mesa*. Ya ellos han hecho esto en su lengua materna y ahora todo lo que necesitan es aprender el equivalente en el otro idioma. Sin embargo, el aprender palabras aisladas no produce satisfacción, ya que no les sirve para comenzar a comunicarse. El decir *mesa* solamente, no ayuda a comenzar una conversación, que es lo que ellos quieren hacer. Es más fácil y divertido aprender el vocabulario por medio de un juego (vea p. 102).

Los niños que están aprendiendo otro idioma saben cómo usar el lenguaje oral —cómo hablar usando frases y oraciones, hacer preguntas y dar órdenes. Ellos conocen el poder del lenguaje y la reacción que produce en otra persona. Ellos han averiguado en su idioma materno lo que sucede si dicen. "Ya basta. No quiero seguir. Estoy cansado". Ellos quieren poder usar el otro idioma de la misma forma. Ellos quieren decir el mismo tipo de cosas para lograr los mismos resultados. Si ellos no pueden decir lo que quieren, se pueden frustrar y perder interés.

Para agilizar el proceso de hablar, los adultos les pueden dar a los niños frases hechas o prefabricadas útiles. Ellos aprenden las mismas como bloques de sonidos, de la misma forma en que las aprendieron en su idioma materno.

"Ponlo aquí. Basta ya. Recoge tus cosas. Es la hora de jugar. Ven aquí". Si los padres aplican las mismas frases a una variedad de situaciones, los niños escuchan estas mismas frases repetidamente y enseguida las captan.

Una selección cuidadosa de canciones, cantos y rimas —los cuales son todos una forma de lenguaje prefabricado— ayuda a contribuir a la reserva de lenguaje del niño (vea p. 117). El uso de las rimas brinda un atajo para aprender gran cantidad de lenguaje en una etapa temprana del aprendizaje. También les da la satisfacción de sentirse que están hablando mucho en el otro idioma, lo cual es algo que anhelan hacer lo más pronto posible.

Período intermedio

Después de aproximadamente un mes, la mayoría de los niños

japoneses ya había sobrepasado el período silente y comenzaba a usar lenguaje prefabricado.

Vete.   *Aún no.*   *Basta ya.*   *Es mío.*

El lenguaje prefabricado fue fundamental para el desarrollo del lenguaje en estas etapas tempranas. Al igual que cuando aprendieron su idioma materno, los niños empezaron a aplicar las pocas frases que sabían a diferentes situaciones. "Yo no" fue una frase que una de las niñas japonesas usaba cada vez que no quería participar en algo.

Práctica del lenguaje

La mayoría de los niños siente gran placer en poder repetir lenguaje en voz alta acerca de ellos mismos. Es una manera de practicar. Poco a poco están ganando control sobre su boca y labios para lograr que hagan lo que ellos quieren. Aprender a coordinar esto con el volumen correcto de voz en un idioma extranjero es un reto emocionante. Los niños a veces repiten en voz alta en tono normal, pero a veces susurran como si solo estuvieran practicando las palabras. Los padres japoneses decían que no sabían por qué los niños andaban por toda la casa repitiendo las mismas frases en inglés una y otra vez. Se les había olvidado que sus hijos hicieron lo mismo cuando estaban aprendiendo su propio idioma.

Pronunciación

Los niños japoneses aprendieron el lenguaje imitando lo que oían. Su pronunciación era igual a la de los demás niños de la clase. A menudo se les veía estirando la nuca para estar más cerca de las caras de los niños americanos para ver exactamente cómo es que hablaban. Se daban cuenta cuando un sonido que hacían no encajaba exactamente con el lenguaje que habían oído, y comenzaban a autocorregirse. Al igual que cuando aprendieron su propio idioma, refinaban los sonidos hasta parecerse al de los otros niños.

Ninguna de las dificultades que tienen los adultos japoneses con los sonidos *l* y *r*, por ejemplo, se podían observar en estos niños. Al hablar individualmente con ellos, cuando la maestra notaba un error, no hacía comentario alguno. Usando técnicas de idioma materno, repetía las formas correctas de hablar, en la esperanza de que el niño la escuchara y se autocorrigiera como lo había hecho antes cuando aprendía su propio idioma.

Aprender por medio del lenguaje

Día a día estos niños eran capaces de tomar una participación más activa en lo que acontecía en clase. En algunas cosas hasta comenzaron a ser excelentes. Esto era generalmente en las clases que dependían menos del idioma para ser entendidas, como en arte y artes manuales, o en las cuales ya ellos habían estudiado el contenido en sus colegios japoneses. Los conceptos sólo tienen que aprenderse una vez. En aritmética ya los niños habían aprendido los conceptos en Japón, así que sólo tenían que aprender los nombres de los números y los símbolos en inglés. Cuando se los aprendieron, ya entendían y podían obtener buenas calificaciones. Los éxitos como estos fueron importantes ya no solo por aumentar su autoestima y posición ante sus compañeros de clase, pero también les sirvió para comprobar que podían tener éxito en usar otro idioma. Cuanto más éxito, mayores son los éxitos y la motivación. A medida que aumentaba su habilidad lingüística, estos niños comenzaban a participar mucho más en clase y en la escuela. Empezaron a agregar frases parcialmente prefabricadas a las frases prefabriadas que ya estaban utilizando.

> **This is** *my book.* **This is** *my bag.* **This is** *my lunch.*
> **Where's** *Tom?* **Where's** *the ball?* **Where's** *my glove?*
> **It's** *mine.* **It's** *Mary's.* **It's** *Mrs. Green's.*

De hecho comenzaban a crear su propio lenguaje.

Avance repentino

Al fin de tres meses de inmersión total en un colegio americano, los maestros contaban que los niños japoneses de un día para otro comenzaron a hablar. De hecho, los niños estaban tan alegres con su nueva habilidad que a los maestros les costaba trabajo que dejaran de hablar. Es como si algo hubiese pasado que hizo posible el avance del día siguiente. Súbitamente estos niños veían que podían crear su propio lenguaje para hablar de cosas de su propia experiencia. Sin saberlo, estaban creando nuevo lenguaje al combinar trozos de lenguaje que ya conocían. Para sorpresa grata vieron que hasta podían iniciar una conversación y mantenerla. A pesar de que continuaron hablando con frases prefabricadas y parcialmente prefabricadas, la cantidad de lenguaje creado que usaban comenzó a aumentar diariamente, hasta convertirse en la parte principal de su idioma.

Este "avance repentino" como lo llaman los maestros, es similar a lo que ocurre cuando un niño logra hacer sus propias oraciones en su propio idioma. Esto no es algo único de niños que estudian otro idioma en colegios primarios americanos. Los británicos reportan lo mismo luego de cuatro a cinco meses con inmigrantes que están aprendiendo inglés. Los niños que no hablan francés en las escuelas francesas se demoran aproximadamente igual en lograr este avance repentino.

El intervalo de tiempo del período antes del avance depende de la cantidad y tipo de contacto con el otro idioma y con el apoyo que puedan recibir en casa. Cuando no hay apoyo en casa, el aprendizaje toma más tiempo. Si los padres no entienden el nuevo idioma, pero dan apoyo de todas maneras, el aprendizaje es más rápido, puesto que el apoyo motiva y crea actitudes positivas. En las aulas británicas, donde los programas incluyen proyectos y actividades de grupo, la interacción entre el personal y los niños es más frecuente. Esto hace que el aprendizaje sea más fácil para el niño.

Comparación de lenguajes

Luego de unos cinco meses varios padres japoneses reportaban que sus hijos comenzaron a criticarles la pronunciación.

—Ustedes no dicen eso bien.   Eso no es así.
No se dice *led*, se dice *red*.

Los padres japoneses se sintieron mal. En realidad deberían de haber estado contentos. Las críticas demostraban que los niños conocían tanto de los sonidos ingleses que podían distinguir entre los sonidos de los nativos y los hechos por sus padres. Un logro extraordinario para unos niños de siete u ocho añitos.

Los padres japoneses también relataron que sus hijos contestaban llamadas por teléfono de sus amigos americanos. Estos amigos no podían creer que les era imposible distinguir si el que les estaba hablando era un niño japonés o un amigo americano. El teléfono es un excelente medio de comprobar las habilidades de lenguaje ya que el que está del otro lado no tiene forma de saber la nacionalidad del que le está hablando excepto por su voz.

Es interesante notar que en esta etapa los niños no hicieron comentarios sobre el orden de las palabras utilizado por sus padres, el cual era a menudo diferente del usado por los americanos.

Habilidades de interpretación

Después de siete meses la mayoría de los niños comenzó a traducir para sus padres cuando iban de compras, a un restaurante o hasta para hablar con la maestra. Traducían lo que se decía en el otro idioma, y a veces añadían datos culturales si pensaban que sus padres los necesitaban. De alguna manera les parecía poder juzgar lo que sus padres desconocían de la cultura local. Cambiar de un idioma a otro era algo natural. De hecho, cada lenguaje iba acompañado de su propio lenguaje corporal, haciéndole pensar a uno que el niño tenía dos personalidades.

Los dos idiomas estaban completamente separados. Sólo cuando una palabra o frase era conocida por los padres pero inexistente en japonés—tal como *team colors* (colores de equipos, rojo, verde, etc.) algo específico a la escuela—o si los niños no conocían la palabra en japonés, es que se mezclaban los idiomas. No era en realidad mezclar, sino un cambio de palabras que solo puede ocurrir cuando uno conoce un idioma muy bien y cuando el interlocutor tiene el mismo conocimiento de ambos idiomas.

Mezclar idiomas

En las fases iniciales del aprendizaje, se pueden mezclar los idiomas de vez en cuando. Esta mezcla es parte del proceso de separar los idiomas. Hay niños que casi nunca mezclan los lenguajes. A pesar de que los padres se preocupan por esto, la mayor parte de los niños normales logran sortear este problema a medida que ganan experiencia, siempre y cuando los adultos no los molesten. Los padres necesitan tratar el problema de la misma manera en que lo hacen con cualquier otro error: no hacer comentarios y repetir la frase correctamente en el idioma.

La habilidad de hablar dos o tres idiomas sin mezclarlos es bien conocida por padres y madres de diferentes nacionalidades que hablan su propio idioma con sus hijos.

Mi hija de cuatro años de edad habla tres idiomas: italiano conmigo, francés con su padre e inglés con su niñera. Ella nos identifica a cada cual con un idioma diferente y contesta en cada idioma sin cometer errores.

Pensar en un idioma extranjero

Está claro que en algún momento los niños comienzan a pensar en diferentes idiomas. En el caso de los niños japoneses que les traducían a los padres, es obvio que estaban pensando en los dos idiomas. Ya no estaban traduciéndolo todo en silencio al japonés para pensar en japonés. No tenían tiempo. En qué momento cada uno de ellos comenzó a pensar en ambos lenguajes varió de niño en niño.

Los niños parecen pasar por las tres mismas etapas al aprender un idioma, sea el suyo o uno extranjero. Conocer estas etapas le ayudará a entender mejor cómo es que aprende su hijo y cómo lo puede apoyar mejor. Aunque no pueda lograr el avance repentino, puede ayudarlo a avanzar mucho hacia esta meta al planificar cuidadosamente algunas experiencias para compartir con él.

Preguntas que hacen los padres

¿Qué es una persona bilingüe?

El debate acerca del bilingüismo y quién es una persona bilingüe continúa, y a medida que cambien las situaciones en diversos países y en el mundo, continuará.

Desde el punto de vista de un niño parecen haber dos principales etapas del bilingüismo que se deben reconocer.

Primera etapa

En niño en esta etapa entiende que hay más de una manera de nombrar un objeto.

> —¿Qué es esto?—señalando la foto de un automóvil.
> Es un automóvil en español.
> Pero la misma cosa en alemán es ein Auto.

Este es un concepto difícil para un niño, y entenderlo depende de su grado de madurez. A los niños se les enseña una correspondencia de uno a uno entre las palabras y las cosas.

La mamá dice *cuchara*, y muestra una. El niño empareja la foto de un automóvil con un automóvil. El niño aprende que uno es igual a uno.

Ahora tienen que comprender que un automóvil puede tener dos nombres y que ambos están bien. Ninguno es incorrecto. Están acostumbrados a pensar en correcto o incorrecto. Ahora se les dice que no es ni uno ni lo otro—que son simplemente formas diferentes de decir lo mismo.

Un niño que ha captado este concepto se puede considerar como un bilingüe incipiente.

Segunda etapa

Cuando un niño trabajando en dos idiomas puede:

- crear lenguaje en ambos para expresar significados
- pensar en dos idiomas por separado

se le puede considerar bilingüe.

¿Es un niño bilingüe igualmente bueno en ambos idiomas?

Un niño que sepa hablar en dos idiomas no necesariamente tiene la misma habilidad en ambos. El lenguaje que aprende el niño tiene que ver con las experiencias que haya tenido ese niño en ese idioma. Por ejemplo, si el niño ha jugado un juego de mesa en italiano, conocerá el lenguaje del juego en italiano. Es posible que no pueda hablar del juego en español al no conocer el vocabulario especial del español para este juego. Si llega a hablar del juego en español, lo hará substituyendo con palabras italianas en los sitios que desconoce las palabras en español.

Cuando haya tenido experiencias tanto en italiano como en español, podrá hablar de ellas en cualquiera de los dos idiomas con fluidez. Por ejemplo, podrá hablar de su bicicleta en ambos idiomas en casa y entre sus amigos de habla italiana. La habilidad lingüística aumenta con el uso. Si el idioma no se usa se pone fuera de práctica.

En el caso de un niño, el idioma más usado es el que se torna dominante. La categoría de dominante puede cambiar. Los niños en un campamento de verano de idiomas llegan a cambiar su idioma dominante. Se les oye decir—Se me está olvidando mi idioma, —si no tienen ocasión de practicarlo. Cuando regresan a casa después del verano recuperan la dominancia en su idioma natal rápidamente. A los padres les preocupa que a los niños se les olvide un idioma. Esto es natural si los niños no tienen la oportunidad de practicarlo. El remedio es darles a los niños experiencias interesantes y divertidas en las que puedan usar el lenguaje (vea p. 102).

Como los niños aprenden idiomas tomando parte en actividades que generalmente tienen que ver con la cultura, los niños chicos aprenden la cultura extranjera a la par con el idioma. Sin darse cuenta, se tornan no sólo bilingües sino biculturales (vea capítulo 19).

No soy maestra profesional, ¿está bien?

- Usted le enseñó a su hijo a hablar su propio idioma, y usted lo puede ayudar de nuevo en las primeras etapas de su segundo idioma.
- Su apoyo, aliento y felicitaciones son vitales para su éxito.
- Usted puede planificar oportunidades que vengan bien con los intereses y necesidades de estudio de su hijo.
- Usted puede asegurarse de que esté rodeado de actitudes positivas hacia el aprendizaje de otro idioma.
- Lo que no sepa lo puede averiguar (vea p. 165).
- Lo que crea que no puede hacer bien lo puede suplementar (vea p. 158).

¿No sería mejor empezar con un nativo?

Pronunciar perfectamente es sólo parte del proceso de aprender otro idioma correctamente.

Los demás factores son:

- desarrollar actitudes positivas
- estar motivado
- que las necesidades de aprendizaje vengan bien con el

estudio

- desarrollar el lenguaje mediante técnicas de idioma materno.

El nativo puede que no tenga los demás factores, ya que no conoce a su hijo como usted. Puede que no le dé el nivel de lenguaje apropiado, haciendo que la comprensión sea mucho más difícil, ya que tiene que aprender el niño el lenguaje y el lenguaje corporal de la persona a la vez. El nativo puede que use técnicas de enseñanza de su país que sean diferentes de como los niños aprenden lenguajes. Quizás esa persona no sepa usar técnicas de idioma materno.

Puede ser mejor traer un nativo cuando ya su hijo tenga las bases y cierta confianza en el nuevo idioma. Mientras tanto, puede usar grabaciones para apoyar el idioma hablado.

Es importante no tener ansiedad sobre dejar que los niños oigan solamente el acento estándar del idioma extranjero. Después de todo, ¿qué está pasando con nuestro propio idioma? Una forma de español global, inglés global, francés global o alemán global se está desarrollando, que utiliza formas del idioma hablado que se puedan entender en todo el mundo. Medio hora de cambiar los canales del televisor, especialmente en cable, es suficiente para detectar este fenómeno.

Los niños tienen la necesidad de comunicarse—en otras palabras, de entender y ser entendidos. Cuando puedan hacer esto, podrán alterar su acento según el caso. Los padres subestiman la habilidad de los niños. Son muy buenos en esto en su propio idioma y pueden hacer lo mismo con los acentos extranjeros también (vea p. 31). Los mismos niños que jugaron en una playa en el sur de Francia con niños de allí, hablarán francés en forma diferente cuando estén en casa de una familia en Bruselas. Pero en ambos casos tendrá lugar la comunicación y se aprenderá más lenguaje.

¿Debo proporcionar inmersión total?

En la inmersión total se desperdicia mucho tiempo, siendo el lenguaje demasiado avanzado para el nivel del niño. Aunque el nivel debe ser siempre un poco más avanzado del del niño, para que pueda aprender algo nuevo, si es demasiado avanzado puede desalentarlo y hacerle perder el tiempo.

La inmersión total guiada es más eficiente al proporcionarle al niño actividades que han sido planificadas para incluir lenguaje adecuado para su nivel actual de aprendizaje.

Para guiar con éxito, el adulto tiene que apoyar la planificación en un programa de lenguaje escondido que contenga los elementos del lenguaje que necesita el niño para la comunicación (vea p. 66). Estos elementos son diferentes en algunos casos de los que necesita un principiante adulto. En la inmersión total guiada, un niño es expuesto a actividades lingüísticas con unas metas. De esta manera, la tarea del niño de buscar entre el lenguaje las cosas que necesita en su etapa, se simplifica enormemente.

Usando un programa escondido como referencia, asegura que los niños están recibiendo el lenguaje que necesitan para la comunicación. Los niños son criaturas del presente. Les gusta hacer las cosas instantáneamente, y esto incluye hablar en el otro idioma. Si, luego de un período de estudio, todavía no pueden decir en forma simple lo que quieren o necesitan, se pueden llegar a frustrar.

¿Pasará mi hijo por un período de silencio?

Todos los niños pasan por períodos silentes mientras están construyendo su banco de conocimientos acerca del nuevo idioma y su sistema. Necesitan tiempo para ello.

Es posible tomar un atajo usando rimas, cantos y canciones (vea p. 117). Como el caso de aprender su propio idioma, la contribución al aprendizaje integral que dan las rimas y demás no se debe subvalorar.

¿Qué debo hacer si mi hijo comete un error?

Primero debe decidir qué tipo de error es. Los errores pueden ponerse en tres categorías:

- **un error de entendimiento**—un error causado por no entender la información o las instrucciones que usted dio; por ejemplo, el niño pone el pegamento encima del estante y no dentro—confundió *on* e *in* en inglés.

- **un error en el idioma hablado**—un error en el sistema que gobierna el idioma extranjero; por ejemplo, el niño dice *mouses* como plural de *mouse*, en vez de *mice* en inglés. Estos errores hablados son parte natural del proceso de aprender un idioma. Deben ser bienvenidos, pues muestran el progreso habido y la etapa en que se encuentra en su estudio del sistema del lenguaje (vea p. 35).

- **un error de pronunciación**—por ejemplo, decir *zee* en vez de *the* en inglés

No sucumba a la tentación de decir—Has cometido un error. Trate los errores como los hizo cuando el niño estaba aprendiendo su propio lenguaje. Repita lo que hay que decir bien en tono suave y dulce, como si nada hubiera pasado (vea p. 35).

Un error de entendimiento

Repita la intrucción: *"Look again. You cut here and then you stick it on here."* Use más gestos para que se entienda mejor.

Un error en el idioma hablado

Repita el lenguaje correcto—*Oh! You ate it.* El niño lo repetirá—*Oh! You ate it,* habiendo cambiado *eated it* por *ate it.* Si su hijo no se corrige solo, no trate de hacer ningún comentario. Asegúrese de tener alguna actividad en la próxima sesión que use el mismo lenguaje. Si le da más experiencia, él podrá hacer su propia corrección cuando esté listo.

Un error de pronunciación

Repita la frase de nuevo—*Yes, it was an elephant.* El niño la repetirá corrigiendo *elphant* a *elephant*.

Los niños aprenden haciendo las cosas a su manera y en su momento. Los adultos también, hasta cierto grado. Piense en cambiar una goma del automóvil. Hasta que no lo haya hecho sola una vez, ¿de verdad sabe cambiar la goma? Puede ser muy agradable para un adulto darle muchas reglas a los niños. Esto les hace sentir que les han enseñado algo. Sin embargo, no se avanza con esto, ya que no es lógico pensar que los niños se van a acordar de unas reglas que no han aplicado jamás. Cuando ya se conozcan las reglas, los padres pueden ayudar a clasificarlas, eso sí.

¿A qué edad debe empezar el niño?

Si en la escuela primaria no dan lenguajes extranjeros, esto tendrá que ser una decisión individual de la familia.

En el caso de un matrimonio binacional, cada padre podrá querer usar su idioma desde la cuna. Muchos padres creen que no pueden usar técnicas de idioma materno—No puedo ser cariñosa y suave en inglés—dice una señora de habla hispana. —Nadie me enseñó en la escuela cómo hacerlo. No sé qué palabras usar y me parece que le estoy haciendo daño a Miguel cuando oigo a su papá hablándole tan dulcemente en inglés.

En otra familia binacional, ambos padres tomaron la decisión de usar sólo un idioma. Cuando los niños llegaron a los siete u ocho años, entoces fue el momento de comenzar a usar el otro idioma, pero los niños objetaron diciendo—¿*Para qué? Todos podemos hablar inglés.* Hubiera sido mejor esperar tener un propósito real antes de presentar el otro idioma. Por fortuna, un poco más tarde la tía abuela austriaca escribió diciendo que vendría a pasarse un mes en casa. Los padres decidieron aprovechar la visita preparando a los niños. Cuando llegó la tía abuela, los niños estaban listos a participar en juegos, canciones y convesaciones simples con ella.

La idea de que "cuanto antes mejor" no es siempre correcta. La mayoría de los niños no tiene dificultad en absorber un idioma e imitar su pronunciación. Cuando comienza la adolescencia, se dificulta el aprendizaje de un idioma. Las emociones y los sentimientos del adolescente y la presión del grupo hacen que les sea más difícil intentar un idioma nuevo. Los adolescentes están más conscientes de los errores que comenten delante de los demás.

Lo ideal es empezar mucho antes de la adolescencia para que el niño tenga tiempo para sentar una buena base antes de que se preocupe demasiado por el qué dirán. Si en la escuela la instrucción de idiomas comienza a la edad de diez años, es demasiado tarde, comience a darle clases en casa. Idealmente, comience cuando los niños no tengan tanto trabajo en la escuela, por ejemplo, cuando no tengan exámenes ni pruebas.

Si su hijo no es muy bueno en su propio idioma y no tiene un buen vocabulario, quizás sea mejor que se concentre en ayudarlo a leer y a desarrollar su propio idioma antes de empezar otro. Es más fácil si ya el niño sabe leer en su propio idioma, antes de comenzar a leer en el otro (vea p. 127).

Si su hijo está en el medio de aprender a leer en su propio idioma, es mejor que lo ayude a terminar de aprender a leer antes de comenzar el otro idioma en casa. Si ya ha comenzado el otro idioma en el colegio, es mejor no invertir mucho tiempo en este idioma sino concentrarse en aumentar el tiempo de lectura en su idioma hasta que lo domine.

Es posible que desee empezar cuando el niño tenga tres o cuatro años de edad. Esto puede ser muy divertido, pero verá que su hijo no aprende mucho en los cortos intervalos que tienen juntos, y que lo que aprende pronto se le olvida. Si deja las cosas para cuando su hijo sepa leer, verá que aprende lo mismo en un corto tiempo.

Resumen

Las actitudes y los intereses de por vida se forman antes de la edad de los ocho años. Es importante tener esto en mente cuando considere ayudar a su hijo con un idioma extranjero. Por medio del lenguaje, su hijo aprenderá acerca de una cultura nueva, y si lo hacen juntos, él reflejará sus actitudes. Usted será su ventana a un nuevo mundo.

El tiempo empleado en compartir experiencias en los años previos a la adolescencia son preciados e importantes. Más tarde, cuando el adolescente comience a madurar, verá renacer los mismos intereses y actitudes.

CAPÍTULO CUATRO

¿Qué quieren aprender los niños en otro idioma?

Los niños absorben el lenguaje del entorno que los rodea. Al aprender otro idioma, su hijo querrá hablar del entorno que usted ha preparado para ello. Si no le es posible entablar una conversación simple le será muy dificultoso adquirir el lenguaje y su progreso hacia la fluidez será lento. Usted puede ayudarlo a comenzar a entablar una conversación utilizando técnicas de idioma materno. No se preocupe si al principio es usted quien habla más. Eso es natural. Así fue como ocurrió cuando su bebé aprendió a hablar. Sus conversaciones progresarán hasta que ambos hablen igualmente. Llegará el momento en que su hijo comenzará a llevar adelante el juego directamente, y usted será solamente una jugadora.

¿De veras les es útil a los niños el idioma que aprenden?

Los niños aprenden haciendo algo, y adquiriendo el lenguaje que acompaña a esa actividad que están realizando. Cuando las actividades los involucran física, mental y emocionalmente, parecen aprender más. Los niños aprenderán cualquier idioma que oigan. Para comenzar, comienzan a adquirir palabras individuales, así como conversaciones y frases prefabricadas. Los niños están ocupados en el colegio y después de clases, así que no malgaste su tiempo de aprendizaje y su energía enseñándoles frases que no les sean de utilidad.

Desde el punto de vista de un niño, ¿por qué aprender "*Les Messieurs font comme ça*" (*Los señores hacen así*) de la famosa canción "Sur le Pont D'Avignon"? ¿Cuándo va a usar esta frase un niño que está comenzando a aprender francés? ¿La puede transferir a otras situaciones? Es mejor enseñarle una canción como esta:

> *Un deux trois, ma boule.*
> *Quatre cinq six qui roule,*
> *Sept huit neuf sur la pelouse,*
> *Dix onze douze, jusqu'à Toulouse.*

Por lo menos le sirve para aprender a contar y la puede disfrutar toda la familia.

Lo mismo es cierto si se trata de enseñarle el habla de los adultos, tal como —*Lo siento mucho. Por favor discúlpeme*. La cultura infantil tiene su propio nivel de lenguaje aceptado—y este no lo es. Si su hijo lo utilizara al jugar con otros niños extranjeros, probablemente se reirían de él. Esto podría causar que no quisiera volver a hablar en ese idioma por largo rato antes de poder volver a recuperar su confianza.

Los niños esperan hablar de inmediato

Los niños pretenden entrar en acción rápidamente y con resultados instantáneos. Para ellos esto quiere decir hablar algo en el otro idioma en la primera sesión, y poder demostrar algo de ello más tarde. Al igual que aprendieron su primer idioma, la lectoescritura debe venir más tarde, una vez que sepan hablar. No importa el lenguaje que adquieran, si tienen confianza y oportunidad, no vacilen en usarlo para intentar una conversación.

Unos niños japoneses de Tokio oyeron la frase This is a pen *en inglés de un programa cómico de televisión. La usaron, sin saber lo que quería decir, para comenzar una conversación con extranjeros en un parque local. Cuando los extranjeros le contestaron, comenzaron a reírse de la vergüenza. No entendían ni jota de lo que le estaban diciendo.*

A los niños les resulta más difícil aprender palabras y frases que no están conectadas con actividad alguna. Aprenderse una lista de palabras de vocabulario o de palabras individuales que deletrear toma mucho tiempo y pronto se olvidan de cómo es que se escribían. Si las palabras están en contexto, son mucho más fáciles de recordar.

Ayuda de "un amiguito"

A los adultos no se les ocurre que los niños puede que no puedan visualizar una conversación en un idioma extranjero. No pueden imaginarse cómo el otro idioma va de una a otra persona. Antes de tener la confianza necesaria para intentarlo ellos mismos, requieren ver y oir una conversación. Usted puede mostrarle a su niño ejemplos de extranjeros hablando en un video, pero si están usando lenguaje complicado, es mejor usar otro método. No es bueno desanimarlos.

Una forma de vencer este obstáculo es crear un personaje que sólo habla el otro idioma—una muñeca francesa o italiana, un títere inglés, un perrito de juguete alemán. Por medio de este "amiguito" usted podrá programar el lenguaje exacto que necesite. Y pueden divertirse también. Use un tono de voz diferente con su nuevo amigo, invente cuentos acerca de él, y haga que haga cosas cómicas y travesuras. Las conversaciones entre usted y su amigo pueden convertirse en conversaciones entre él y su hijo y de ahí entre ustedes tres. Permítale al personaje jugar con ustedes también. Un tercer jugador puede hacer que un juego sea más divertido, pues dos lo limita todo demasiado.

—Te toca a ti, Hans— le dice mamá al perrito de juguete alemán.
—Jau, jau. Me toca a mí. Jau. ¿Tienes un seis, Juanito? ¿Sí o no?

El perro alemán Hans, pregunta.
Juanito responde, —Sí, Hans, llevo. Aquí está—dándole la baraja
a Hans.
—Gracias— le dice Hans. —Yo llevo un par. Mira, dos seis. Me
toca a mí de nuevo. Jau, jau. ¿A quién le debo preguntar ahora?
¿A Juanito o a mamá? Jau, jau, jau. (haga una pausa para
añadir suspenso) —Juanito, ¿llevas diez?
—No llevo, Hans. Me toca a mí ahora.

En algunas familias la relación con el amigo se desarrolla tanto que el personaje se convierte en un familiar adoptado. Hasta recibe su propia ropa, cepillo, cama, comida, y todos en casa saben lo que le gusta y lo que no le gusta. Paso a paso, un mundo completo en el otro idioma se va creando alrededor de él. Hacerle las maletas para un viaje de fin de semana con ustedes requiere usar el otro idioma mucho, ¡especialmente si no se quiere olvidar nada!

¿De qué quieren hablar los niños en el otro idioma?

Los niños necesitan el lenguaje para hablar de:
- ellos mismos
- sus familias
- sus intereses
- sus necesidades cotidianas
- sus vidas—lo que han hecho y lo que quieren hacer
- su entorno
- sus sentimientos
- lo que les gusta y lo que no les gusta
- sus pensamientos y opiniones
- sus problemas

Los niños también se valen del lenguaje para:

- entender lo que otros dicen acerca de estos temas

- hacer preguntas acerca de estos temas y entender las respuestas

Sin este lenguaje les resulta difícil comenzar una conversación o poder mantenerla.

- Los niños necesitan conocimientos específicos en el otro idioma para sobrellevar la vida diaria.

Si usted quiere que su hijo se acostumbre a hablar un idioma extranjero cuando estén haciendo cosas juntos, deberá ayudarlo a construir su propio banco de frases prefabricadas. Al entender y usar frases simples, progresará a crear frases parcialmente prefabricadas. Mucho más tarde, cuando haya tenido mucho aprendizaje, comenzará a crear su propia habla (vea p. 45). Inicialmente será usted quien use las frases prefabricadas.

Lenguaje específico (frases útiles prefabricadas)

Lenguaje de supervivencia	No entiendo. Repítemelo. ¿Cómo se hace eso?
Lenguaje de transacción	Por favor, dame las tijeras. Pásame el pegamento.
Lenguaje de socializar	¿Puedo jugar? Puedes compartir conmigo.
Lenguaje de conducción	Para organizar: • La hora del otro idioma (vea p. 73); • autoestudio, que incluye leer y escribir; • proyectos y actividades; • dibujos y artes manuales; • juegos.

El valor de las listas

Estas listas (p. 66 a 69) pueden parecerle difíciles, pero son solo una guía para ayudarle a verificar que su hijo está progresando hacia la meta de conocer todos los aspectos del idioma que necesita. Su hijo necesita un menú completo de lenguaje si va a lograr expresarse en forma normal. Si no va a lograr expresar algo que le es importante delante de un grupo que solo habla el otro idioma, se sentirá avergonzado y frustrado también.

*Un japonecito fue invitado a una fiesta de cumpleaños en una casa norteamericana, tres semanas tras su llegada, y este no sabía cómo se decía que quería ir al baño. Sabía que si decía **Please**, la gente en el colegio tratarían de ayudarlo. Pero la gente de esta casa pensaba que simplemente era un niño muy gentil que decía por favor a todo. Se salvó la situación cuando, por fin, todos salieron a jugar y el niño, sin decir nada, se ocultó tras unos arbustos.*

De hecho, si mira la listas con detenimiento, verá que incluyen muchas cosas que un niño de cuatro o cinco años usa o entiende, pero a un nivel simple. No trate de usar formas de lenguaje complicadas cuando su hijo es solo un principiante. Recuerde cómo eran las cosas cuando él empezó a hablar. Usaba lenguaje muy simple al principio.

Para presentar el lenguaje de los sentimientos, puede comenzar con "Tengo calor" o "Tengo frío". Cuando su niño entienda estas frases entonces preséntele "Estoy cansado" o "Tengo sueño".

Entonces juego un juego simple. El primer jugador hace una mímica de algo, y el segundo le pregunta —¿Qué te pasa?—pasando a intentar adivinarlo diciéndole —¿Tienes sueño?. —No—le contesta el primer jugador, repitiendo la mímica. —Ah, es que tienes calor— le dice el segundo jugador.—Así es. Tengo calor—le contesta el primer jugador.

Así sucesivamente siguen los jugadores cambiando de papel. Si los niños hallan esto demasiado difícil, la mamá y el "amiguito" pueden jugar el juego primero para mostrar cómo se juega y qué lenguaje usar (vea p. 60).

¿Qué lenguaje necesita usted saber?

(Vea el Apéndice en la página 201 que contiene frases en otros idiomas.)

Se necesita lenguaje para:

- **Preguntas**—Preguntas cerradas que se contestan con un sí o con un no—¿Es rojo? Preguntas abiertas: ¿Cómo lo hiciste? ¿Qué hiciste después? ¿Y luego?
- **Sugerencias**—¿Quieres. . .?
- Conversaciones y negociaciones—¿Por qué piensas que . . . ? ¿Se te ocurre algo?
- **Explicaciones y justificaciones**—Esto es rojo. La raya es esta, así que corta por aquí.
- **Disciplina e instrucciones**—No hagas eso ahora. Ordena las cosas.
- **Ánimo y felicitación**—Casi que lo hiciste bien, inténtalo de nuevo. Muy bien.

Las técnicas de idioma materno se pueden utilizar con estos tipos de lenguaje.

Selección de un lenguaje adecuado a la situación

La selección al azar de un lenguaje que sirva para una actividad puede tener como resultado que los niños no obtengan todas las formas idiomáticas que necesitan tener. Por este motivo, es buena idea que el adulto se refiera a un programa de estudio "escondido". Este programa de estudio proporciona:

- un cotejo del idioma que se ha usado;
- una ayuda para planear lo que se debe presentar

Aparentemente todos los niños pasan por una secuencia específica de aprendizaje de un nuevo idioma, independientemente de su cultura y del idioma que oyen a su alrededor. Los niños adquieren las estructuras gramaticales en un orden bastante predecible. Antes se pensaba que el tiempo pasado se debía posponer hasta que el niño llevara dos años de estudio en el nuevo idioma. De hecho, muchos libros de texto de idiomas extranjeros no presentaban el tiempo pasado hasta el tercer nivel, a pesar de que los niños usan el tiempo pasado desde muy temprano en su propio idioma.

A los niños les gusta y necesitan hablar de lo que hicieron y de lo que les pasó en sus vidas. Esto es importante para ellos, y es algo que hacen bien en su propio idioma.

A una niña de 11 años de edad, de regreso de una estadía en casa de una familia francesa, le preguntaron sus padres si había hablado mucho francés. —Qué va— le contestó,— si sólo sabía decir lo que me estaba pasando en ese momento, tal como "Estoy comiendo pan y tomando leche" y eso ya ellos lo sabían. Me podían ver haciéndolo. Yo quería hablarles de lugares que había visitado y de lo que había hecho, pero no podía. No sabía como hacerlo. Mi maestra no me lo había enseñado. Así que no dije nada.

Un programa de estudio escondido

La siguiente lista sirve:

- como guía para registro y planificación;
- para bosquejar las categorías básicas que precisan los niños;
- para adaptarla al idioma extranjero bajo estudio;
- en cualquier orden.

Elemento lingüístico	Ejemplos	Preguntas
Los números		¿Cuántos hay? ¿Cuánto es?
El alfabeto		
Los colores	marrón, azul, verde, anaranjado, etc.	¿De qué color es esto?
		¿Qué color tiene aquello?
Los nombres	• clasificación (hay cosas que no se pueden contar como el agua)	¿Qué es esto?
	• con el artículo indefinido (el, la)	¿Dónde está el . . . ?
	• formas plurales	¿Cuántos hay?
Las conjunciones	y, o	¿Es esto un . . . o un . . . ?
Los verbos	ser y estar (soy y estoy) presente de indicativo	preguntas en forma afimativa y negativa ¿Eres? ¿Estás? ¿No eres? ¿No estás?
Las preposiciones de lugar	en, sobre, debajo, cerca	¿Dónde está? ¿Dónde están?

Las frases imperativas	*Para, sube, dobla derecha (afirmativas)*
	No pares, no dobles (negativas)
Los adjetivos	*grande, pequeño, triste, contento, etc.*
Los pronombres	
Pronombres sujetivos	*yo, tú, él, ella, nosotros, vosotros, ellos, ellas* *¿Quién?*
Pronombres posesivos	*mío, tuyo, suyo, suya, nuestro, vuestro, vuestra* *¿De quién?*
Los verbos	*quiero + nombre =quiero una manzana*
	no quiero una manzana
	quiero + infinitivo =quiero ir *¿Vamos?*
	no quiero ir
Los verbos	*puedo + infinitivo = puedo correr* *¿Está corriendo?*
	puedo brincar no puedo correr
Los verbos	*me gusta + nombre = me gustan los plátanos,* *¿Te gustan los plátanos?*
	no me gustan los plátanos
	me gusta + verbo = ,me gusta tocar el piano, *¿Le gusta tocar el piano?*
	no me gusta tocar el piano

Elemento lingüístico	Ejemplos	Preguntas
El tiempo	días de la semana	¿Cuándo?
	partes del día (mañana, tarde, noche)	
	horas de comer	
	horas y minutos	¿Qué hora es?
	estaciones del año	
Los familiares	madre, padre, hermana, hermano, etc..	¿Quién es?
Los nombres de las partes del cuerpo	pierna, brazo, cabeza, etc.	
Los nombres de la ropa	camiseta, vestido	¿De quién es . . .?
Los nombres de cosas de casa	cuartos (la cocina, etc.) muebles (sofá, cama, etc.)	¿Dónde está . . .?
Las preposiciones relacionadas al transporte	en autobús, a pie	¿Cómo fuiste?

		interrogativa
Los clasificadores	un pedazo de, una botella de, un vaso de, una caja de, etc.	
Las formas verbales **gerundio** **pasado** **futuro**	**afirmativa negativa** Estoy comiendo. No estoy yendo. Fui. No vino. Comprará. No iré.	¿Estás oyéndome? ¿Ganaste? ¿Preguntarás?
Las profesiones	un doctor	¿Dónde está él/ella?
Los lugares	la estación, el hospital, el supermercado	¿Dónde está . . .? ¿Dónde trabaja?
Los adverbios	lentamente, rápidamente, ahora, pronto, algunas veces, aquí, allá	¿Cómo? ¿Cuándo? ¿Dónde?
Los adjetivos **comparativos** **superlativos**	más pequeño el más pequeño	¿Cuál es más pequeño? ¿Cuál es el más pequeño?
Adjetivos irregulares	bueno, mejor, el mejor	¿Cuál es el mejor?

Presentación de los elementos lingüísticos

Los elementos lingüísticos deben presentarse poco a poco y paso a paso.

Juegen las cartas del juego ¿De qué color es? (vea p. 95). Se presentan dos colores al principio, y luego se añade un tercero. La segunda vez que se juega se usan los mismos tres colores de nuevo, y entonces se presentan dos colores más, llegando a un total de cinco.

La próxima vez que se juega el juego, si el niño sabe los cinco colores, se presentarán uno o más colores nuevos.

Cada vez que se juega el juego, se usa el mismo lenguaje para organizar el juego. Al principio, se juega el juego con tarjetas de colores.

En una etapa posterior, los colores se substituyen con los nombres de los colores.

Preguntas que hacen los padres

"¿Qué hago si me doy cuenta, al verificar el programa de estudio escondido, que me salté un elemento?"

Haga una actividad o juego que presente ese elemento. Un mismo juego a menudo puede servir para diferentes elementos. Si su niño ya sabe jugar el juego, puede concentrarse en el lenguaje nuevo.

"¿Cómo puedo obtener más información acerca de programas de estudio escondidos sobre elementos lingüísticos en otros idiomas?

Compre un libro de texto para principiantes. Si es un libro para adultos, recuerde que parte del lenguaje coloquial adulto puede no ser adecuado para el uso con los niños. Lea la lista en el índice para ver los elementos lingüísticos básicos que abarca.

Resumen

La planificación de cuál idioma estudiar es tan importante como cuándo usarlo. Si usted estudió otro idioma, aunque sea por corto tiempo, ya usted conocerá mucho del programa de estudio escondido que necesita su hijo.

Pensar cuidadosamente sobre cuál idioma estudiar, y hablarle de eso a su hijo cuando surja la ocasión, no es una pérdida de tiempo para ninguno de los dos. Llegar a conocer cómo funciona otra lengua le ayudará a conocer mejor la suya propia y, en definitiva, la usará mejor.

"El que no conoce otro idioma, no conoce de verdad el suyo."

(Goethe, 1749–1832)

Planificación—Tipos de ayuda

¿Cómo puedo ser de ayuda?

Usted es la clave del éxito que tendrá su hijo. Depende de usted que ocurra el aprendizaje. No importa cuán pequeña sea su contribución, mientras que se diviertan su hijo y usted, estará teniendo un impacto significativo en su hijo. Inclusive si usted no se siente confiada en su habilidad en otro idioma, su ayuda y apoyo le dará la confianza para empezar y para profundizar y averiguar más y más por sí solo.

Su hijo se verá motivado cuando usted le demuestre:

- interés;
- orientación paciente;
- ánimo y felicitaciones.

Su hijo aprenderá con facilidad y con rapidez si usted planea y selecciona cuidadosamente de manera que su tiempo de enseñanza no se malgaste ni se use equivocadamente. Esto implica planificar ambos:

- las actividades;
- el lenguaje usado en ellas.

¿Qué tipo de ayuda debo ofrecer?

Idealmente, un plan semanal debería incluir uno o más de lo siguiente durante el año escolar. No trate de seguir el mismo patrón durante las vacaciones. Habrá en casa una atmósfera diferente y relajada y es inútil combatir esto.

El rato para el otro idioma

Por ejemplo, "es hora de hablar inglés" o "es hora de hablar francés":

- duración de unos diez minutos por vez
- una, dos o tres veces por semana, o coincidiendo con las tareas escolares.
- hora y lugar—la misma cada día y conocida por anticipado por el niño.

El rato para el otro idioma debe ser planificado por usted para aprovechar diferentes actividades dentro del marco de una rutina (vea p. 79). Las tareas escolares pueden ser una de estas actividades.

Ratitos informales

- momentos de enseñanza informales
- duración de unos minutos hasta diez minutos
- espontáneo—sin tiempo fijo

Estos son cambios espontáneos hacia el otro idioma, iniciados por usted para captar una oportunidad o para aprovechar el interés mostrado por su hijo o por la familia.

Su hijo comienza a tararear una canción en otro idioma. Usted se le une con la letra. Entonces usted continúa con otras canciones, rimas y cantos llegando a pasar cuatro o cinco minutos de canturreo. Posiblemente se turnan en elegir la siguiente canción o canciones. Usted termina la sesión antes de que se torne aburrida.

Ratitos programados

- tiempos de enseñanza cortos pero programados
- de cinco a diez minutos de duración

Los ratitos programados los usará para consolidar algo que hicieron en el rato del otro idioma, o para leer un libro juntos, oir una canción o recitar una rima.

Cuando su hijo esté en la cama, puede ponerle un audiocasete en el otro idioma, dejando que se quede dormido oyéndolo.

O traiga el "amiguito" de la familia para que tenga una breve conversación con otro miembro de la familia.

Proyectos

- sin tiempo designado
- sesiones que tarden de diez a treinta minutos en varios días y semanas, dependiendo del proyecto

Los proyectos son planificados por usted con alguna meta en mente:

—Ir a cenar a un restaurante norteamericano. Prepárense de antemano y dele seguimiento posterior.

—Ir a un supermercado a leer tantas palabras en inglés como pueda en los envases de los productos.

Momentos del niño

- unos cinco a quince minutitos
- iniciados por el niño que le pide hacer algo con él

Peticiones como esta pueden perturbar su plan. Sin embargo, es importantísimo responder positivamente y darle toda la atención sin reparos. Su petición indica que está listo a aprender. En momentos como estos va a absorber el lenguaje en forma fácil y rápida. No desperdicie este tipo de oportunidad y recuerde—él la estará observando.

—Puedes jugar a las barajas conmigo, mami? He puesto las cartas sobre la mesa— le dijo Tina, de 9 años de edad, a su mamá. La mamá apagó la estufa y se dedico a estar con ella. Sonó el teléfono pero no lo contestó. Simplemente siguieron jugando hasta que terminaron. Les tomó cinco minutos.

Rincón del otro idioma (Rincón del inglés, o del francés, etc.)

* continuo
* una cuestión familiar

El rincón del inglés era una mesita y un estante en un corredor accesible a toda la familia. Todo lo que había en la mesita o en el estante tenía que ver con el idioma o la cultura inglesa. Había libros, diccionarios, juegos, audiocasetes, videos y otros materiales de consulta. Era un centro multimedia. Las cosas que Danielito había escrito en inglés y los juegos en inglés que había jugado estaban allí también. De esta manera toda la familia podía ver lo que él y su mamá se traían entre manos.

Confeccionar una especie de minicentro de recursos en inglés no sólo ayuda a mantener el interés vivo, también ahorra tiempo a la hora de encontrar las cosas. Si un niño no tiene a mano lo que necesita, es rápido en perder el interés. Cuando lo venga a tener, es probable que ya esté pensando en otra cosa, y se habrá perdido una oportunidad de aprendizaje.

Algunas de las cosas en exhibición deberán ser cambiadas semanalmente para que todos sigan interesados. Habrá cosas en el rincón que sean de interés a visitantes a la casa. Si es así, no caiga en la tentación de dar las explicaciones usted, deje que el niño lo haga. Tener que explicar algo es una excelente manera de enterarnos que sabemos algo o no. No se sorprenda si en el medio de la explicación le preguntan: —¿Qué era esto mamá? Aproveche la ocasión para volvérselo a decir. Ni se le ocurra añadir comentario alguno, ni de chiste, acerca del hecho de que se le había olvidado.

Un comentario como ese no servirá de nada y puede inhibirlo la próxima vez que haya que explicarle algo a un visitante.

Un niño de padre coreano y madre norteamericana hablaba inglés en casa, pero una vez que empezó a ir a la escuela, empezó a aprender algo de coreano de sus compañeritos del barrio coreano. Cuando intentaba hablarle en coreano a su papá, este le corregía la pronunciación y los fallos gramaticales, hasta el punto que el niño dejó de hablar coreano en casa y sólo lo hablaba en casa de sus abuelos paternos, quienes siempre lo estimulaban.

Extender el aprendizaje hacia el resto de la familia

A los niños les gusta sentirse seguros y saber lo que se espera de ellos. Un programa regular de tiempo con el otro idioma, donde el niño cuenta con toda la atención suya, es un medio ambiente ideal para el aprendizaje. Si él sabe que lo que hacen ustedes juntos en el otro idioma se puede compartir con la demás gente de la casa, se sentirá orgulloso y confiado en lo que está haciendo.

Mantener el interés

Una vez que haya empezado a ayudarlo a aprender otro idioma, es posible que por un motivo u otro vea que no puede seguir con el rato para el otro idioma. En vista de que su familia ya está habituada a utilizar el otro idioma de vez en cuando, no deje que esto se detenga. Dele a su hijo un motivo válido de no poder seguir con el rato para el otro idioma, pero siga con los ratitos informales. Mantenga el rincón también. Recorte nuevas láminas de revistas, o compre un envase de algún alimento rotulado en el idioma bajo estudio. Es muy importante mantener vivo el poco lenguaje que se sepa. Comenzar por segunda vez no es igual. Algo del interés inicial se habrá perdido, y el aprendizaje podrá ser más dificultoso.

Es posible que de vez en cuando su hijo o usted pierdan el entusiasmo. Esto es muy natural. Todos tenemos nuestras altas y bajas. Es esencial salirnos de la baja antes de que nos haga demasiado daño. Piense en algo especial que hacer, tal como celebrar un festival, un picnic con unos amigos de él, o un nuevo libro o video. Esto servirá para cambiar el ambiente, especialmente si le inyecta algo de interés usando el otro idioma (vea la p. 26). Es recomendable mantener un par de cosas en reserva, listas para cualquier día de lluvia cuando se necesite un empujoncito más (vea la p. 63).

Cuando cualquiera de los dos se sienta triste, es buena hora para mostrarle el trabajo que hicieron hace un tiempo. Ambos se sentirán orgullosos del progreso obtenido. Es bueno hacer autoevaluaciones. También es bueno saber que uno puede siempre mejorar. No intente decírselo. Él lo sabrá, y probablemente usted verá que pronto mejorará.

¿Cómo planifico?

Usted es el ente planificador y facilitador de todo el aprendizaje, inclusive cuando se trata de una petición hecha por su hijo (vea p. 74). Le toca a usted seleccionar las actividades que hagan y guiar el lenguaje que usarán en ellas. De hecho, usted guiará la inmersión total de su hijo. (vea p. 52).

Si usted planifica bien, y le dedica tiempo y cuidado a cómo dar buen seguimiento, las cosas saldrán mejor. También se sentirá mucho más confiada. Estar seguro de lo que uno hace le permite a uno ser más flexible para aprovechar oportunidades de ser más creativo, si estas se presentan.

Decisiones hechas al azar acerca de lo que harán en el rato para el otro idioma, tomadas unos minutos antes de empezar, no siempre serán tan efectivas como se esperaría. Esto no quiere decir que usted no está en libertad de alterar los planes si a su hijo se le ocurre una idea muy buena, o si él o usted siente que algo no está saliendo tan bien como pensaban. Es importante ser flexible y poder reaccionar antes las situaciones. Lo que usted haya planeado no se va a desperdiciar. Siempre lo puede intentar en otro momento.

Una vez que entre en el ritmo de ayudar a su hijo, verá que estará planeando y recolectando cosas mientras anda haciendo las cosas cotidianas. (vea la p. 164). Puede que llegue a recolectar tantas cosas que tenga que elegir qué presentar y cuándo hacerlo. No caiga en la trampa de presentar demasiado material sin suficiente lenguaje que lo acompañe. Si el lenguaje acompañante no es presentado y practicado con efectividad, lo cual toma tiempo, se perderá una oportunidad potencial de aprendizaje del otro idioma, aunque es posible que se hayan aprendido otras cosas y que se hayan divertido haciéndolo.

Plan general

Tenga claro:

- **sus planes a largo plazo en referencia a lenguaje y también a cultura.** Pregúntese: ¿Por qué? ¿Cuándo?
- **el tiempo que se dedicará al rato para el otro idioma.** Pregúntese: ¿Cuándo y por cuánto tiempo cada semana? ¿Por cuál intervalo de tiempo—un semestre, un trimestre?
- **¿cuáles materiales utilizar?** Pregúntese: ¿Dónde podré obtener estos materiales? ¿Dónde debo poner el rincón del otro idioma?

Plan mensual o bisemanal

Es mucho más fácil planificar las metas de aprendizaje en segmentos más pequeños y por ende más manejables.

Estos pueden incluir:

- tipos de actividades (vea los capítulos 6 y 8);
- contenido lingüístico suyo, en su papel de facilitadora y directora.
- contenido lingüístico para su hijo:
  —escuchar y entender (vea capítulo 4)
  —hablar
  —leer y escribir (vea capítulo 7)

- información cultural (vea capítulo 11)
- materiales tales como videos, audiocasetes, útiles teatrales, artículos reales y visuales en el otro idioma (vea capítulo 9).

Plan semanal

- Planifique y calcule el tiempo y lugar del rato para el otro idioma.
- Bosqueje los planes del rato para el otro idioma. Estos deberán de ser adaptados después de cada sesión en el otro idioma. Prepare más material del que usará. Usted no sabrá de antemano cuánto durará un juego o si el plan funcionará como previsto. Por este motivo es aconsejable tener algo en reserva por si le es necesario cambiar de plan.
- Una vez que haya planificado la hora del otro idioma una vez, programe cuándo insertar los ratitos informales.
- En días feriados o de vacaciones, es importante continuar, pero, en vez del rato para el otro idioma, aumente los ratitos informales y presente un proyecto grande o varios proyectitos cortos.

El programa del rato para el otro idioma

La estructura del programa permanece igual. Las actividades se escalafonan en cada sección.

Programa sugerido:
- apresto (calentamiento)
- presentación de lenguaje nuevo
- actividad de lectoescritura o tareas (si fuera apropiado)
- juegos y artesanías para practicar el otro idioma
- final

El tiempo empleado en cada sesión es flexible. Esté lista para acortarlo o extenderlo de forma que encaje en su plan general o en vista de una ocasión especial. Ajústelo al instante para estar al ritmo de cómo se sienta su hijo o de su capacidad de concentración ese día. Un día demasiado ajetreado en el colegio, un catarrito, o algo como un cambio en la temperatura puede alterar su capacidad de concentración. Forzarlo más allá de lo que pueda hacer puede ser contraproducente. Si usted hace ajustes sin cambiar la estructura del programa su hijo logrará conocer bien la rutina. Hasta podrá predecir lo que viene a continuación. Algunos niños conocen tan bien la rutina que comenzarán a prepararse para el próximo paso antes de ser presentado.

Cada rato para el otro idioma debe incluir:

- presentación de lenguaje nuevo;
- práctica de lenguaje familiar.

Si no ocurren oportunidades para practicar el lenguaje que ya usted ha presentado, y que él ha entendido, su hijo no podrá absorber este lenguaje. Si no recibe suficientes oportunidades para reforzarlo mediante la práctica, no pasará a la etapa de poder usar el lenguaje por su cuenta. Cuando él estaba aprendiendo su propio idioma, usted le presentó nuevo lenguaje y se aseguró de que lo entendía. Más tarde le dio ocasiones donde usar el mismo lenguaje una y otra vez en forma natural, dentro de las diversas actividades que usted organizaba para él. Usted lo puede ayudar de nuevo, si usa las mismas técnicas de idioma materno en actividades bien seleccionadas (vea la p. 23).

Las oportunidades de practicar el lenguaje con técnicas de idioma materno ocurren:

- cuando se están preparando para empezar, cuando están recogiendo las cosas, etc.
- al organizar juegos, artes manuales, actividades, proyectos.
- en situaciones sociales.
- al organizar rimas, canciones y cantos entre ustedes dos, etc.

Apresto (Calentamiento)

La transición hacia usar otro idioma es difícil para algunos niños, especialmente en casa, donde no existe una razón comunicativa obvia para ello, ni un cambio de circunstancias que lo requiera. Aunque usted piense que su hijo no lo necesita, es buena idea hacer una transición, pues esto puede acelerar el aprendizaje.

Antes de sentarse para comenzar el rato para el otro idioma, ponga un audiocasete de canciones o música en el idioma bajo estudio, o de un país donde se hable ese idioma. Esto ayuda a crear el ambiente y a ubicar al niño. Entonces haga un calentamiento cantando juntos rimas y cantos, además de canciones, algunas con acciones físicas que ambos conozcan. Esto servirá para que ambos se sintonicen con el otro idioma hablado, y estén ambientados a hablar.

Programe parte de una estrofa de una nueva canción o rima en cada sesión de canto conjunto en cada rato para el otro idioma, de forma que usted esté aumentando el repertorio continuamente (vea p. 125).

Presentación de lenguaje nuevo

Presentación informal

Cuando su hijo estaba aprendiendo su propio idioma, usted le presentaba lenguaje nuevo en maneras naturales, mientras que él estaba haciendo algo. Usted no tenía un plan consciente. Usted puede seguir haciendo esto con el otro idioma, mientras que no presente demasiado lenguaje en un momento dado, y mientras que se asegure de que tiene un vínculo con la actividad.

Presentación formal

Sin embargo, como su hijo ya es mayor, el tiempo es limitado y él espera resultados inmediatos, hallará que es más eficiente planificar presentaciones programadas de lenguaje nuevo en los ratos para el otro idioma.

Es más fácil ayudar a su hijo ahora que cuando estaba aprendiendo su propio idioma. Si usted selecciona actividades que él ya conoce y entiende, sólo será necesario ayudarlo con una cosa—el nuevo lenguaje (vea p. 45).

Cada vez que sea posible, comience repasando el lenguaje ya conocido, agregando lenguaje nuevo sobre éste. Quizás desee utilizar "el amiguito" de ayuda. Al igual que cuando su hijo estaba aprendiendo su primer idioma, asegúrese de repetir el lenguaje nuevo varias veces sin cambiarlo ni ampliarlo en nada. Póngase donde su hijo pueda ver los movimiento de su boca, puesto que él está habituado a usarlos como pistas de aprendizaje lingüístico (vea p. 26).

Un ejemplo de una presentación formal

Primer paso: Presente lenguaje nuevo

Añada lenguaje nuevo sobre lenguaje ya conocido por su hijo.

> **Lenguaje conocido:** This is a bus and this is a car. (Esto es un autobús y esto es un automóvil.)
> **Lenguaje nuevo:** and this is a bicycle . . . a bicycle . . . a bicycle and this is a van . . . a van . . . a van. (y esto es una bicicleta . . . una bicicleta . . . una bicicleta y esto es una camioneta . . . camioneta . . . camioneta.

Tenga a mano objetos reales (carritos en miniatura) y láminas, y utilice lenguaje corporal y gestos.

Al edificar sobre un lenguaje ya conocido, se presenta la oportunidad de revisarlo, lo cual ayuda al aprendizaje.

En esta etapa, no le pida a su hijo que diga nada. El nuevo

lenguaje está siendo apoyado con ejemplos concretos y con dibujos. En esta etapa no hay lenguaje escrito, y por ende no se lee en el otro idioma (vea el capítulo 7).

Segundo paso: Verifique que ha entendido

Diga —*Point to a van*— o —*Show me a van*. (Señálame la camioneta o muéstrame la furgoneta.) Espere a ver si su hijo lo hace bien. Si lo hizo bien felicítelo. De lo contrario, presente de nuevo el lenguaje nuevo como en el primer paso. Continúe diciendo—*Point to a bicycle*— o —*Show me a bicycle*. Al finalizar la sesión, pregúntele de nuevo las cosas que tuvo que presentar dos veces.

Cuando juege esto de nuevo más tarde, cambie el lenguaje, diciéndole —*Which is the bicycle?* (¿Cuál es la bicicleta?)

Si usted cree que su hijo puede captar más lenguaje, regrese al primer paso y presente dos o más aspectos. Pero no sea demasiada ambiciosa forzando las cosas demasiado. A medida que se habitúa más y más al lenguaje extranjero, podrá absorber lenguaje nuevo con mayor rapidez.

Los primeros dos pasos tienen lugar en el rato para el otro idioma.

Tercer paso: Práctica del lenguaje

Cuando usted haya presentado un número de aspectos en diversos ratos para el otro idioma, juege lotería con ellos (vea p. 111).

| Mamá: | *a bicycle* | *Have you got it?* |
| Hijo: | *a bicycle* | *Yes. Me. No.* |

Jugar la lotería durará varias sesiones de ratos para el otro idioma. Añada otros aspectos cuando ya los haya presentado.

Cuarto paso: El niño usa el lenguaje por sí solo

Coloque en abanico todas las cartas con dibujos en una mesa. Señale una de las cosas y pregunte—*What is this*? indicando hacia la bicicleta. Su hijo le contestará—*A bicycle*. Continúe hasta abarcar todas las cosas. Cada vez que acierte retire una carta de la mesa.

Para demostrarle al niño qué lenguaje usar, haga el diálogo con el "amiguito" antes. Si su hijo no puede contestarle, repítaselo usando una voz suave y lenta (técnica de idioma materno). Más tarde, pídale que lo intente él. A los niños les gusta que les den una segunda oportunidad. Si todavía no acierta, repítalo de nuevo, y anímelo. Obviamente necesita más práctica.

Cuando ya haya verificado que puede usar el lenguaje, jueguen otros juegos para darle mayor práctica (vea p. 109).

Lectura y escritura

Esto debe ser opcional, dependiendo de:

- el nivel lingüístico de su hijo
- la habilidad de su hijo en el otro idioma.

Al igual que cuando aprendió su propio idioma, la lectura y la escritura deben venir cuando sepa hablar.

Si tiene tarea para la casa de una clase de idiomas que esté tomando, meta hacer la tarea en el rato para el otro idioma. Su hijo estará mejor preparado para hacer su tarea si ha tenido el apresto oral y ya usted ha presentado oralmente de nuevo algo del lenguaje en cuestión antes de que lo lea o lo escriba.

Juegos y artes manuales

La selección de estas cosas está muy relacionada al lenguaje nuevo, siendo la meta proporcionar oportunidades de práctica. El lenguaje que se utilice en estas actividades debe ser conocido de antemano. El lenguaje nuevo que recién se ha presentado no debe de ser practicado en el mismo rato para el otro idioma. Al parecer, para que ocurra aprendizaje debe de haber un rezago entre el momento en que se presenta un lenguaje nuevo, y el momento en que se practica.

Luego de haber presentado cosas que se ven en la calle (tiendas, gente, automóviles, etc.) y habiendo jugado a la lotería (vea la p. 111) con estas cosas, una mamá hizo un bosquejo de una calle, pidiéndole a su hija que pegara o dibujara estas cosas en el mismo. También le pidió que añadiera semáforos y cruces de peatones. Este proyecto tomó cuatro ratos para el otro idioma. A medida que el plano iba tomando forma, su hija sugería cosas adicionales y hasta colocó la bandera del país en la estación de trenes. Este plano fue entonces colocado en el rincón del otro idioma, y luego de varias conversaciones con otros familiares, ella le añadió otras cosas más.

Final

Recoger las cosas a menudo se hace rápidamente y con poco lenguaje. De hecho, la hora de recoger puede ser un momento ideal para volver a presentar cierto lenguaje o verificar el uso del lenguaje nuevo. Al principio, será usted la que tenga que hablar.

Mamá—Give me the red crayon. Now give me the green crayon. Thank you. Now the orange crayon. How many have I got? Let's count them. (Dame el creyón rojo. Ahora dame el creyón verde. Gracias. Ahora dame el creyón anaranjado. ¿Cuántos tengo? Contémoslos.)
Juntos—One, two, three. (Uno, dos, tres.)

Es bueno resumir lo que haya hecho en los ratos para el otro idioma. Por ejemplo, miren el dibujo, admírenlo y comenten lo que pudieran añadirle la próxima vez.

Finalmente, antes de parar, repita la nueva rima, canto, o canción y entonces dígale *goodbye* al "amiguito" y devuélvalo a su hogar.

Concentración

Es importante que una actividad en el rato para el otro idioma se conecte con la siguiente. Si mantiene la conexión y el interés, su hijo seguirá estando involucrado y concentrado en lo que está haciendo. Si usted tiene que invertir tiempo en ponerse a buscar algo que necesita para continuar, él perderá el interés y la concentración. Será difícil recuperar estas cosas.

Cuando un niño está trabajando en un idioma extranjero, su intervalo de atención será menor que en su propio idioma en cosas similares. A pesar de que usted querrá animarlo a perseverar en lo que están haciendo, no tiene sentido seguir en una actividad cuando se ha perdido el interés. Por esta razón, es importante preparar más actividades que las que usted prepararía si se tratara del idioma del niño.

Planificación del lenguaje

Como que el propósito de cualquier actividad es practicar el lenguaje al mismo tiempo que están haciendo algo constructivo, es importante planificar el lenguaje que se va a usar. Al hacer la actividad, su hijo estará completamente inmerso en el otro idioma. Aprenderlo le será más fácil porque lo ha planificado—usted le ha proporcionado actividades guiadas de inmersión total (vea p. 52). Si no se planifica el uso del lenguaje, el progreso será más lento.

Sin un plan es más difícil:

• edificar sobre un lenguaje familiar
• presentar prácticas efectivas
• limitar su propio lenguaje al que el niño necesita.

Cuando no se ha planificado el contenido lingüístico, su hijo puede hallarse confundido por ser el lenguaje demasiado complicado para su nivel de aprendizaje. Es muy fácil para los adultos usar demasiado lenguaje y demasiado difícil. Si el lenguaje, sea el propio o el otro idioma, es demasiado para su nivel de comprensión, el niño desintoniza. Para planificar bien, puede serle útil pensar de nuevo en cómo usó usted sus técnicas de idioma materno.

Un niño norteamericano de ocho años de edad tomaba clases de español después de la escuela. Le dijo a su mamá que se estaba divirtiendo mucho.

Le dijo que la señora habla inglés muy cómica, y que ellos no le entendían nada, así que hacían lo que querían. Obviamente los niños habían dejado de poner atención. Cuando la mamá verificó cuánto español habían de hecho aprendido, quedó muy defraudada.

Evaluación y seguimiento

Después del rato para el otro idioma, evalúe lo que ha logrado y tome nota de lo que será necesario repetir, o de lo que deberá usarse con los demás familiares. Estas cuantas notas rápidas le ayudarán a planificar el próximo rato para el otro idioma. Si es posible tome nota tan pronto termine. Si lo deja para luego, verá que varias cosas ya se le han olvidado.

Preguntas que hacen los padres

"Mi hijo no sabe mucho de otros idiomas. ¿Qué debo hacer antes de empezar?

Asegúrese de que el niño sepa y entienda:

¿**Por qué** va a aprender otro idioma?

Cuándo—explique los ratos para el otro idioma y hagan juntos el rincón del otro idioma. Preséntele algunas cosas relacionadas al otro idioma. A medida que haga esto, explique dónde se habla este idioma y quién es el que lo habla. Dígale si tienen familiares y amigos que lo saben hablar también.

Cómo—explique que aprender incluirá hacer cosas divertidas y proyectos con él y con la familia. Explíquele que usted le estará hablando en el otro idioma, y que él deberá intentar hacer lo mismo.

¿Cuánto de su propio idioma debo usar? ¿Cuándo debo traducir?

Tan pronto como pueda debe proporcionar experiencias guiadas de inmersión total para su hijo. Esto significa usar solamente el otro idioma con su hijo, ayudándole a habituarse a entender trozos del habla. Él ya sabe hacer esto. Lo hace en su propio idioma (vea p. 32).

En el primer rato para el otro idioma, es posible que tenga que traducir la mayor parte de las cosas. Pero no permita que esto se convierta en un hábito, o él esperará la traducción suya sin hacer esfuerzo alguno por entender ni por escuchar el otro idioma. Cuando vea que tiene que traducir algo, hágalo en un susurro teatral, para que se dé cuenta de que se trata de algo especial y no algo regular. Tampoco traduzca palabra por palabra, o él se pondrá a querer saber lo que cada palabra individual significa, y esto es algo que usted está tratando de desalentar. Hasta tanto no aprenda a entender solo con trozos del habla, no podrá progresar.

Cuando usted presente algo nuevo, use artículos reales y láminas con técnicas de idioma materno para ayudarlo a entender—tal como lo hacía cuando él estaba aprendiendo a hablar (vea p. 23). Si cree que sea realmente necesario, dígaselo una vez en los dos idiomas, pero de ahí en lo adelante, use sólo el otro idioma.

Las conversaciones sobre la cultura del idioma necesitan mucho lenguaje, e incluyen muchos conceptos nuevos, así que inicialmente tienen que tener lugar en su propio lenguaje. En vista de que usted está esforzándose en utilizar sólo el otro idioma durante el rato para el otro idioma y en los ratitos programados, es mejor realizar estas actividades culturales en otras ocasiones. Comiéncelas cuando ambos estén mirando una nueva lámina en el rincón del otro idioma. Si hay algunas palabras que usted quiera que él conozca en el otro idioma, se las puede presentar en su conversación, por ejemplo—Esto se dice *egg* . . . en inglés.

¿Cómo le puedo ayudar a progresar?

Casi todos los niños logran algún grado de aprovechamiento. Al ser el aprendizaje un proceso continuo, es difícil evaluar el progreso con exactitud; algo del lenguaje aprendido quizás no se use hasta una etapa muy posterior.

Su hijo logrará progresar si la está pasando bien y si usted:

- planea qué lenguaje va a presentar (vea p. 64)
- presenta y practica lenguaje usando técnicas de idioma materno en actividades seleccionadas para tener un propósito explícito.
- muestra entusiasmo, se divierte, y es positiva acerca de lo que están haciendo juntos los dos, él y usted.

¿Qué hago si él no está interesado?

Evalúe lo que usted está haciendo. ¿Lo estará haciendo bien?

- ¿Es divertido?
- ¿Está utilizando lenguaje que él pueda usar?
- ¿Tienen un propósito explícito?
- ¿Puede él y los demás percatarse de su progreso? ¿Le está dando oportunidades para que exhiba sus logros?

Vuelva a motivarlo con algún nuevo proyecto muy divertido.

¿Qué lenguaje necesito para el rato para el otro idioma?

Use el mismo lenguaje cada vez y gradualmente edifique sobre el mismo como lo hizo cuando le enseño a hablar. Verifique el lenguaje de las actividades organizativas y de los juegos (vea p. 106). Notará que mucho de esto vuelve a ocurrir, especialmente en los juegos.

Progresión típica del lenguaje

Put it there. →Put it there on the chair. →Put it on the chair by the window.

Get a red one.→Get a red one and a green one, too.

¿Cómo empiezo con un niño de siete años de edad?

Comience con algo en lo que se siente confiada, que sea algo fácil y que usted sepa que su hijo puede usar y que le será divertido.

El primer rato para el otro idioma puede consistir de aprenderse los números. Es posible que su hijo ya conozca algunos números en el otro idioma; si este fuere el caso, vuelva a presentarlos, y entonces añada nuevos números a los ya conocidos. Sea que comience desde el principio o añadiendo a lenguaje conocido, no haga más de lo que él pueda manejar bien.

Durante el primer rato para el otro idioma, usted tendrá muy poco del otro idioma que usted pueda usar y que él pueda entender. Transfiera estas palabras y frases a diferentes situaciones, de la misma manera que su hijo lo hizo cuando estaba aprendiendo a hablar (vea p. 23). Oirlas una y otra vez le ayudará a aprendérselas.

Las primeras impresiones son importantes y duraderas. Estas influencian las actitudes, así que es vital que su hijo termine su primer rato para el otro idioma:

- sitiéndose positivo acerca de aprender otro idioma
- siendo capaz de exhibir sus conocimientos de algunas palabras en el otro idioma.
- queriendo aprender más
- esperando con anticipación el próximo rato para el otro idioma

Las felicitaciones y admiración que reciba de otros—adultos y otros niños—para su nueva lengua, es crucial para su automotivación.

PARTE 2

Planificación—El principio del programa

Ideas para el primer rato para el otro idioma

Apresto

- Toque un audiocasete de niños cantando en el otro idioma.

Presentación del lenguaje nuevo

- Comience con los números 1, 2, 3. Primeramente, averigüe si su hijo conoce algunos números en el otro idioma. Entonces preséntelos o añada a estos números usando tarjetas.

Primer paso

Muestre la tarjeta , diciendo "one" en inglés, si este es el otro idioma, repitiendo "one". Asegúrese de que puede ver su cara claramente para que pueda no solo oir sino también observar la palabra.

En esta etapa, no le pida al niño que diga la palabra, aunque es posible que él solito la empiece a balbucear sin llegar a decirla. Repita el primer paso con el "two" 2 y con el "three" 3 .

Segundo paso

Ponga las tarjetas de números boca arriba en una mesa y diga— *Show me one—* y luego —*Show me two—* y —*Show me three.* Felicítelo si lo hace bien. Vuelva a presentarlos si comete un error.

Juegos

- Juego de pararse encima

  Coloque tarjetas grandes de números en el piso. Diga "three" señalándole al niño que quiere que se pare en ese número. Juegue el juego con los demás números de la misma manera, diciendo—*Stand on* (pausa para añadirle suspenso) . . . *three.* Repita usando todos los números. Siga jugando mientras no se aburran.

- ¿Cuántos?

  Pida a su hijo que muestre el número correcto de números. Diga —*Show me three.* Si muestra tres dedos diga—*Yes, three. Good.* De lo contrario—*No look*—mostrándole tres dedos mientras repite *three.*

Artes manuales

Tarjetas de números

- Juntos hagan dos juegos de tarjetas de números. Coloreen los números de rojo o de azul.

- Presente lenguaje nuevo como papel y tijeras (*some paper, scissors*) y dos plumas de color rojo y azul (*red and blue*) utilizando frases como—*Give me the scissors*— o —*Copy this* (Dame las tijeras o copia esto.) Agrupe las tarjetas en pilas y diga—*Give me one. Give me two. Give me three.* (Dame una. Dame dos. Dame tres).

Cantos

- Invente un canto usando los números que ha presentado. Den palmadas o pisotadas al ritmo del canto.

  One, two three,
  Three, three, three.

Extensión hacia la familia

- Cántenlo juntos.
- Juntos jueguen el juego de los números con los dedos.

Ideas para el rato para el otro idioma

Apresto

- Use el audiocasete como en el primer rato para el otro idioma.
- Canten el canto de los números.

Presentación de lenguaje nuevo

Vuelva a presentar los números usados la última vez y presente los números nuevos *four* y *five*.

Artes manuales

Hagan nuevas tarjetas para "*four*" y "*five*" [4] [5] y dos tableros de lotería. Use los símbolos numéricos primeramente, y cuando su hijo esté listo para leer, gradualmente substituya el símbolo por el nombre del número. [4] [four]

Vuelva a presentar *scissors*, etc. y añada dos colores nuevos: *green and yellow* (verde y amarillo).

Juegos

- Lotería

  Presente el siguiente lenguaje nuevo:

  Mamá   —*Five* (sujetando la tarjeta*) Have you got five?*
  Five.
  Niño   "*Five. Yes. Me.*" o "*No.*"
  Mamá   "*Five. Yes. Me. I've got it.*" o "*Five. No.*"

- Juego rápido—Adivine el número

  Esconda la tarjeta del número [3] a su espalda y diga—*How many*? (¿Cuántos?) dejando que el niño adivine. Si no puede adivinar el número, le puede mostrar la tarjeta correspondiente. Después de una pausa para darle suspenso, muestre la tarjeta y repita—*How many*? Si no puede contestar, ayúdelo balbuceando la respuesta. Si acertó, él se queda con la tarjeta. Si comete un error, usted se queda con la tarjeta, para usarla de nuevo al final del juego. Repita el procedimiento con todos los números. Juntos cuenten las tarjetas del niño al final del juego.

Final

- Cante—*One, two, three*— y agregue —*four and five.*

Extensión hacia la familia

- Canten, cuenten juntos y jueguen lotería.

El tercer rato para el otro idioma

Apresto

- Jueguen a cantar juntos.
- Practiquen el canto de los números.
- Cuenten los números juntos.

Presentación de lenguaje nuevo

- Vuelva a presentar los números del uno al cinco y presente los nuevos números *six*, *seven*, *and eight* como antes.

Artes manuales

- Tarjetas de colores
  Haga varias tarjetas de colores—dos tarjetas para cada color (roja, verde, amarilla y azul). Vuelva a presentar los colores. Presente las frases —*Draw around this a circle*— y —*Color this red*— (Haz un círculo alrededor de esto y colorea esto de rojo) y vuelva a usar las frases anteriores.

Juego

- Juego de memoria
  Se ponen las tarjetas de colores boca abajo. El primer jugador señala una tarjeta y dice —*What is this*? (¿Qué es esto?) La toma y dice el color, por ejemplo—*red*. Luego señala otra tarjeta diciendo—*What's this*? La toma y dice el color. Si ambos colores son iguales, se queda con las tarjetas.

Si fueran diferentes, las devuelve a la mesa. El siguiente jugador hace exactamente igual, y el juego continúa hasta que todas las tarjetas hayan sido recogidas. Es posible que su hijo no pueda decir—*What's this?* así que díganlo juntos. Cuando todas las tarjetas hayan sido recogidas, cuenten su tarjetas juntos en voz alta. El que tenga más es el ganador.

- Juego rápido

Juegue el juego de pararse encima con las tarjetas de los números del uno al cinco.

Final

- Haga su propio canto de colores.

Red, blue, yellow, green.
Red, blue, yellow, green.

- Cuenten juntos hasta el ocho y repitan.

Extensión hacia la familia

Canten juntos y jueguen el juego de memoria.

El cuarto rato para el otro idioma

Apresto

- Toquen el programa de cantar juntos.
- Practiquen el canto de los números.
- Practiquen el canto de los colores.
- Cuenten juntos hasta el ocho.

Presentación de lenguaje nuevo

- Añada los nuevos números "nine and ten."
- Presente tres dibujos de animales.
- Presente lenguaje nuevo—*Look. This is an elephant.* Repita, *an elephant.* Haga una mímica de un elefante. —*And this is a cat. And this is a dog.*
  Luego, pregunte, —*Show me the dog.* etc, y haga una mímica de cada animal, haciendo el sonido que hace ese animal en inglés. (Los sonidos de los animales no son iguales en todos los idiomas.)

Artes manuales

- Haga tarjetas nuevas de los números del seis al diez, y dos nuevos tableros de lotería.

Juego

- Jueguen lotería con los números del uno al diez.
- *Juego rápido*
  Ponga las tarjetas de colores en el piso y juegue a pararse encima de ellas.

  "Stand on . . . red." "Stand on . . . blue."

Final

- Haga mímica de los animales, diciendo—*This is an elephant.* etc.
- Practique el canto de los colores.
- Cuenten juntos hasta el diez.

Extensión hacia la familia

- Cuenten hasta el diez y jueguen lotería.

El quinto rato para el otro idioma (repaso)

Esto se recopila de lo que ya haya hecho hasta ahora. Esto le da tiempo a su hijo para practicar más y para sentir que sabe mucho.

Cuando hayan cantado algo juntos, deje que él repita parte por sí solo, termine una estrofa de una rima o túrnense en contar, usted diciendo "one" y él diciendo "two" y usted "three". Es posible que tenga que ayudarlo un par de veces susurrándole lo que usted quiere que él diga.

Los ratos para el otro idioma sexto a noveno

Plan

- Presente tres animales más. Practique el juego de memoria con los animales.
- Presente los colores anaranjado y marrón.
- Practíquelos con el juego de memoria y con el de pararse encima.
- Presente los nombres de las cosas a su alrededor, tales como *chair* y *a table* en preparación para el juego Hide and Seek (los escondidos). Tendrá que presentar el lenguaje—*What's this? It's a . . .*
- Presente *on* y *under*. Practíquelos en un juego simple. Usando un osito de peluche, diga—*Put Teddy on the chair*—extendiendo una mesa, señalando el piso, etc. —*Yes, Teddy's on the chair.* Use los gestos para ayudar a que se entienda. Si su hijo comete un error, repita —*on the chair*— mientras señala con el dedo.

- Desarrolle esto en un juego de Hide and Seek. Esconda a Teddy de forma que quede en la posición que usted necesita para el lenguaje que vaya a dar. El nuevo lenguaje incluirá que usted diga—*Shut your eyes. Count to ten. Open your eyes. Where's Teddy? Find Teddy.* (Cierra los ojos. Cuenta a diez. Abre los ojos. ¿Dónde está Teddy? Halla a Teddy). Cuando aparezca Teddy, repita—*Look, Teddy's under the table.* Si lo cree apropiado, añada—*Hi, Teddy. How are you?* (Mira, Teddy está debajo de la mesa. Hola, Teddy, ¿cómo estás?)
- Transfiera este lenguaje a otras situaciones—*Where's . . .? Look on the chair. Under the book.*

El décimo rato para el otro idioma

Repaso.

Los ratos para el otro idioma del onceavo al catorceavo

Plan

- Presente tres animales nuevos. Practíquelos en el juego de memoria.
- Presente los nombres de las partes de la cara.
- Practíquelos en un juego de Simon Says (decir y hacer lo que dice Simón, vea la p. 110).
- Como arte manual, haga la cara de un títere o marioneta.

- Presente los números 20, 30, 40, 50, 60, 70, 80, 90 y 100.
- Practíquelos en el juego de pararse encima.

El quinceavo rato para el otro idioma

Repaso.

Los ratos para el otro idioma del dieciseisavo al decimonoveno

Plan

- Presente los plurales de los nombres de los animales (*cat/cats*, etc.)
- Practique el juego de memoria con este lenguaje extendido. Diga—*two elephants*— cuando el jugador empareje dos tarjetas.

- Presente *in* y *by*.
- Practíquelos en un juego de Hide and Seek.

- Presente *arms*, *legs*, *hands*, *feet*, *body* (brazos, piernas, pies, cuerpo)
- Practíquelos en un juego Funny Clowns (payasos cómicos, vea p. 112).

El vigésimo rato para el otro idioma

Repaso.

Resumen

Le toca a usted el papel de maestra de idioma extranjero y de cultura. En sus manos está abrirle un nuevo mundo a su hijo. Si ya ha empezado, puede asegurarle el éxito y llegar más allá. Es posible que no se dé cuenta, pero usted puede ayudar a su hijo a realizar algo que él no sabía posible. Con su ayuda, se dará cuenta de que puede decir en otro idioma lo mismo que en el suyo propio.

Al compartir actividades con él y al mostrarle cómo hacer las cosas, él sabrá cómo hacer las cosas por sí solo, y cómo comprobar lo que está haciendo. Al mismo tiempo está aprendiendo a concentrarse y a perseverar. De hecho, está aprendiendo a aprender al mismo tiempo que está aprendiendo otro idioma y otra cultura.

CAPÍTULO SEIS

Desarrollo de la fluidez oral—actividades, juegos, canciones, rimas y cantos

¿Qué es un juego?

En la mente de un niño hay poca diferencia entre un juego y una actividad a la cual usted haya añadido elementos de diversión, suspenso o quizás alguna competencia. Para el niño ambos son juegos. Un juego es jugar siguiendo una estructura que ha sido institucionalizada. Las reglas son conocidas. La lotería es un juego, pero ¿cuál es la diferencia entre la lotería y un juego de mesa que su niño y usted hagan para una actividad?

Los juegos y demás actividades lúdicas juegan un papel muy importante en ayudar a su hijo a aprender otro idioma, siempre y cuando contengan suficiente lenguaje del tipo correcto. Usted debe usar el lenguaje de la misma manera que lo usó cuando él estaba aprendiendo a hablar, pero, desde luego, adaptado, pues es ya mayor.

A pesar de que usted usa el lenguaje para comunicar información, el equilibrio entre él y la actividad tiene que ser justo. Ninguno de los dos aspectos debe dominar. Las actividades no deben tomar demasiado del limitado tiempo que tiene disponible.

Puede que sea mejor realizar algunas de las tareas de recortar de antemano, de forma que puedan ir directamente a la parte que involucra el uso del lenguaje.

Una niña de siete años de edad que estaba aprendiendo inglés empleaba diez minutos del rato para el otro idioma en colorear dibujos de toda una página sin usar nada de inglés. Cuando terminó, la mamá le dijo—Good. That's nice.

Un niño de ocho años de edad, recortaba láminas de automóviles de revistas, mientras era bombardeado con lenguaje complejo y sin meta mientras que él seguía recortando y pegando. No había tiempo en silencio para reflexión ni oportunidad para que él respondiera o comenzara una conversación. De hecho parecía que él querría dejar de poner atención y dejar que la actividad ocurriera automáticamente.

Tipos de juegos y actividades lúdicas

Los juegos y las actividades pueden demorarse de unos minutos, tal como empezar un juego (vea la p. 109) hasta 10 ó 15 minutos o más. No trate de alargar algo sólo para llenar el tiempo. Una vez que su hijo ha perdido el interés, es un desperdicio de tiempo de aprendizaje lingüístico. Es mejor detenerse antes y usar una o dos cositas rápidas de relleno.

Muchos juegos pueden ser ya conocidos por su hijo. Es posible que los haya jugado o que haya visto a otros jugarlo. Como sabe lo que tiene que hacer, puede concentrarse en el otro idioma que ahora se usará en el juego.

No se sienta tentada a seleccionar juegos que sean demasiado fáciles o infantiles para su hijo por tener el nivel correcto de lenguaje. Es mejor modificar el nivel de lenguaje de juegos que le gustan a su hijo, y poco a poco edificar el nuevo lenguaje que sea necesario. Una vez que sepa bastante del lenguaje, comience a

repetir y cambiar de frases como lo hizo cuando estaba aprendiendo a hablar (vea p. 25).

La primera vez que uno juega un juego o hace cualquier tipo
de actividad, es muy posible que no salga como uno esperaba. ¡No
se preocupe! La segunda vez será mucho mejor.

Cuando usted comience, tendrá que hablar la mayor parte del
tiempo. Esto es natural. Remóntese a cuando su hijo era chico. Si
usa las mismas frases prefabricadas una y otra vez para conducir
los juegos y actividades, pronto las comprenderá y repetirá. En
algunos juegos pronto podrá cambiar de papel con usted, organi-
zando el juego y organizándola a usted de paso.

Jueguen el mismo juego una y otra vez. Su hijo no se aburrirá,
inclusive si usted y los demás adultos de la familia sí se aburren. Él
usará la ocasión para corregir ciertas cosas por sí solo, que es lo
que él desea hacer. La autocorrección es importante en todo
aprendizaje, inclusive en el aprendizaje lingüístico, y si se les proporciona la oportunidad correcta, los niños la tomarán una y otra
vez.

Planificación

Tanto como pueda, trate de reproducir las mismas condiciones
que existían cuando su hijo aprendió su primer idioma. A pesar de
que las actividades serán más refinadas en vista de su nivel superior de desarrollo, el ambiente de comodidad y refuerzo en el uso
del idioma debe ser similar.

No deje que la actividad domine. Tenga en cuenta las necesidades de lenguaje y cree oportunidades adicionales de interacción.
A veces, haga como que desconoce algo y pregunte para ver qué
pasa. Esto proporciona oportunidades de interacción.

> *"—¿Me toca a mí o a ti? ¿Quién es el próximo? ¿Ya terminé?
> ¿Está bien?*

El lenguaje tiene que ser planificado de antemano para incluir lo
necesario para conducir:

- al principio
- al final
- a mediados del juego cuando el interés puede estar decayendo

   y **lenguaje específico** para la actividad o juego. Esto puede ser parcial o totalmente nuevo.

   Hace falta tener oportunidades de lenguaje para:

- la interacción;
- entender un paso más allá del nivel actual.

Presentación de la actividad o juego

Esto es importante, puesto que establece el ambiente para todo—entusiasmo y disfrute, además de entendimiento.

Pre-presentación

Presente todo o casi todo el vocabulario específico necesario en los ratos para el otro idioma anteriores.

Presentación

- Use frases de conducción prefabricadas para organizar, agregándole a cada una.
- Explique una sola cosa a la vez, para evitar sobrecargar al niño y entonces tener que traducir.
- Controle el entorno para que pueda ubicar mejor el lenguaje específico.
- Modifique su propio lenguaje para que la comprensión sea más fácil. Gradualmente añádale cosas usando técnicas de idioma materno.
- Incluya más repeticiones que en su habla normal, pero sin llegar a ser tediosa.
- Use el tono de voz para darle suspenso o misterio a las cosas.
- Use lenguaje más despacio y pausas, sin alterar la manera de decir las cosas, para mantener el interés y motivar.

- Cree oportunidades adicionales para comenzar la interacción. Haga más preguntas de las que haría normalmente.

Sostener el interés

Esto requiere un mayor uso de frases prefabricadas para:

- darles confianza y ánimo
- comprobar el progreso.

Final

Esto proporciona una oportunidad de recordar lenguaje específico para hablar de:
- logros
- planes futuros.

Las frases prefabricadas de conducción son útiles a la hora de determinar el ganador y a la hora de recoger las cosas.

Lenguaje específico

Juegos simples y actividades lúdicas proporcionan una base útil que se puede extender y alterarse para incluir el lenguaje específico que necesita su hijo. El mismo juego o actividad puede usarse para otro lenguaje específico si se cambian los materiales.

Pueden jugar Snap con números, cosas de comer, prendas de vestir, cosas que transportar, o láminas de gente haciendo diferentes cosas, por ejemplo, un niño nadando, un elefante comiendo. El lenguaje prefabricado de conducción sigue siendo básicamente el mismo, pero se expande continuamente. Las oportunidades de interacción están presentes en todo el proceso. El gesto de su hijo o una respuesta de una palabra se usa, con técnicas de idioma materno para desarrollar la conversación.

Actividades y juegos simples se pueden clasificar en dos categorías básicas:

Actividades

- físicas
- artes manuales (colorear, recortar, pegar)
- dibujar

Juegos

- Juegos con actividad física o juegos físicos tales como el escondite (Hide and Seek).
- Empezar juegos para determinar quién será el primero y quién lo perseguirá.
- Juegos de cartas—juego de memoria, Snap, dominó, la solterona, Happy Families
- Juegos de mesa—lotería, payasos cómicos

Lenguaje usual para la conducción de juegos y actividades

Para empezar una actividad	*Para empezar un juego*
Listen (Oye)	Stand here. (Párate aquí.)
Start here. (Empieza aquí)	Stand in this circle. (Párate en este círculo)
Copy me. (Imítame)	Count the cards. (Cuenta las cartas o las tarjetas.)
Have you got the scissors? (¿Tienes las tijeras?)	How many have you got? (¿Cuántas tienes?)
Paste it. (Pégalo)	Put them here. (Ponlas aquí o ponlos aquí.)
Stick it here like this. (Pégalo aquí así)	Give one to you and one to me. (Dame una a mí y una a ti.)
Draw a. . . (Dibuja un . . .)	Are you ready? Go. (¿Estás listo o lista? Empieza.)

Color this. (Colorea esto . . .)

It's your turn. It's my turn. (Me toca a mí. Te toca a ti.)
Hurry up.

Para llevar adelante una actividad

Let's look at it.
(Vamos a verlo.)

That's good. (Eso está bien.)

Try again. (Pruébalo otra vez.)

Put some more here.
(Pon más aquí.)

Show me. (Muéstramelo.)

Para llevar adelante un juego

Who's next? (¿A quién le toca?)

That's yours. Is that mine? (Eso es tuyo. ¿Es esto mío?

How many have you got?
(¿Cuántos tienes?)

It's your turn again.
(Te toca de nuevo.)

Try again. (Pruébalo otra vez.)

Show me. (Muéstramelo.)

Para terminar una actividad

Have you finished?
(¿Has terminado?)

Stop now.
(Para ahora.)

Next time we'll do it again.
(La próxima vez lo
haremos de nuevo.)

Put the paste/scissors away. `
(Guarda el pegamento/las
tijeras.)

That's good. Well done.
(Está bien. Bien hecho.)

Para terminar un juego

Stop. It's time to stop.
(Para. Es hora de parar.)

Have you finished?
(¿Has terminado?)

Count your cards/my cards
please.
(Cuenta tus cartas/mis cartas
por favor.)

How may cards have you/I got?
(¿Cuántas cartas tengo yo/tú?)

You're the winner. Well done.
Put the cards away. (Eres el
ganador. Bien hecho. Guarda
las cartas.)

Juegos simples donde se puede usar lenguaje específico

Paper, scissors, and rock (el juego internacional para empezar)

A coro, digan, "one, two, three" o "A, B. C " llevando el compás con los puños cerrados. Cuando digan "three" or "C" hagan uno de los siguientes símbolos con los dedos.

- puño cerrado es una piedra
- dos dedos abiertos es un par de tijeras
- la palma de la mano es una hoja de papel

El ganador se determina así:

- The rock breaks the scissors, so the rock wins. (La piedra rompe las tijeras, así que gana la piedra.)
- The scissors cut the paper, so the scissors win. (La tijera corta el papel, así que gana la tijera.)
- The paper wraps the rock, so the paper wins. (El papel envuelve la piedra, así que gana el papel.)

Si ambos hacen el mismo símbolo, háganlo de nuevo.

Long and short (un juego para comenzar)

Esconda un trozo de cordel largo y otro corto o un lápiz largo y otro corto en la palma de la mano dejando que se vea la misma cantidad de ambos. Pregúntele a su hijo cuál es más largo o más corto. Si acierta, gana.

Buzz

Cuente en voz alta, pero en vez de decir "three" o un múltiplo de tres diga—*Buzz*. Si comete un error, el niño tendrá que empezar en cero otra vez más.

El que cuente más sin equivocarse es el ganador.

Simon says (adaptado)

Su hijo tiene que hacer lo que Simón le pida, así que cada vez que usted diga—*Simon says touch your nose*—su hijo tiene que tocarse la nariz. Si usted dice—*Simon says, don't touch your mouth*—y su hijo no obedece y se toca la boca, pierde uno de sus cinco puntos. Jueguen hasta que pierda los cinco puntos.

Juego de memoria

Hagan diez pares de tarjetas de dibujos y pónganlas boca abajo en una mesa. Tomen una carta y diga su nombre—digamos "a flower" y luego otra y diga su nombre. Si emparejan, quédense con ellas, si son diferentes, reemplácenlas. Jueguen hasta que todas las tarjetas hayan sido tomadas. El ganador es el que tenga más. Esto se puede extender para practicar los plurales diciendo "two flowers" cuando las dos tarjetas emparejadas se coloquen una al lado de la otra.

Snap

Barajee diez pares de tarjetas con dibujos haciendo dos pilas. Coloque una pila frente a cada jugador. Tome una tarjeta y diga su nombre—por ejemplo, "an airplane" y póngala frente a usted. Su hijo entonces hará lo mismo. Si las dos tarjetas son iguales, grite SNAP! El jugador que diga SNAP! primero se lleva las dos pilas de tarjetas boca arriba, y el juego continúa. El ganador se queda con todas las tarjetas. El perdedor con ninguna. Esto se puede ampliar para practicar plurales diciendo—SNAP! *two airplanes*.

DESARROLLO DE LA FLUIDEZ ORAL—ACTIVIDADES, JUEGOS, CANCIONES, RIMAS Y CANTOS

Lotería o bingo

Haga 18 tarjetas que sean iguales a los nueve espacios en dos tableros.

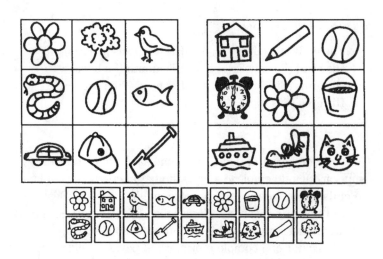

El primero se queda con las 18 tarjetas y uno de los tableros. El otro jugador retiene el segundo tablero. El primero barajea las 18 tarjetas y hace una pila con ellas, boca abajo. El primero entonces toma una y dice su nombre. El jugador que la tenga grita—*Me! I've got it!* y dice el nombre de la tarjeta. El primer jugador que lo grite toma la tarjeta y la coloca encima del espacio en el tablero que empareja con la tarjeta. El ganador es el primero en cubrir los nueve espacios del tablero.

La solterona

Barajee diez tarjetas más una extra que tendrá la solterona. Reparta las tarjetas y pongan cualquier par sobre la mesa. Entonces pregunte—*Have you got a ...?* Si su hijo lo tiene, dirá—*Yes, I have*—y le entregará la tarjeta. Si no la tiene, dirá—*No, I haven't*—y usted tomará una de sus tarjetas. sin mirar. Le toca entonces a él pedir algo. Si no tiene la tarjeta, él tomará una de las suyas sin mirar. Cada vez que uno de ustedes logre un par, lo debe poner sobre la mesa. El perdedor es la persona que se queda con la solterona.

Funny Clowns o Beetle

The body (Su cuerpo) = 6	His legs (Sus piernas) = 3
His head (Su cabeza) = 5	His mouth (Su boca) = 2
His arms (Sus brazos) = 4	His nose (Su nariz) = 2
His eyes (Sus ojos) = 1	

Túrnense en lanzar el dado. Tiene que sacar un 6 antes de poder empezar, cuando empiece, puede dibujar el cuerpo. Sigan lanzando el dado y nombrando el número que han sacado. Después de decir el número, digamos—*three*—diga la parte correspondiente del cuerpo del payaso—*a leg*—y entonces dibújela.

El jugador que complete primero el payaso y diga—*I've finished my Funny Clown*— es el ganador.

Actividades o juegos para practicar aspectos específicos del lenguaje

Vocabulario

¿Qué hiciste?

Se coloca un juego de tarjetas de dibujos boca arriba en una mesa. Tome una de las tarjetas y mientras la muestra diga—*I went to the supermarket and I bought a . . .* Su hijo entonces tomará una tarjeta y dirá —*I went to the supermarket and I bought . . .* repitiendo la primera tarjeta y añadiendo su segunda. El juego continúa hasta que todas las cartas hayan sido recogidas. Si alguien comete un error, empiece el juego de nuevo.

El mismo juego puede adaptarse—por ejemplo, a decir—*I packed my suitcase and I put in . . .* (para practicar prendas de vestir) o —*I went to the beach and I saw a . . .* (para practicar el vocabulario previo a una visita a la playa).

Números

Presente los números en los siguientes grupos: 1—5, 5—10, de 10 en 10 hasta el 100, 10—20, 21—30.

Juegos
- Pararse encima
- Lotería
- Snap
- Juego de memoria—sume las dos tarjetas que emparejan (3 y 3 son 6)

Nombres con artículo indefinido a/an

- Lotería

Actividad
Cortar y pegar láminas de cosas de revistas (un automóvil, una bicicleta, un avión)

Plurales de los nombres
Juego
- Juego de memoria: diga el nombre de las tarjetas, ponga un par junto y diga— "two" . . .

Comandos
Juegos
- Pararse encima (adaptado) página 92
- Simon Says (adaptado) página 110

Partes de la cara
Actividades
- Haga la cara de un títere o marioneta y péguela a una paleta.
- Decore un globo con una cara.

Partes del cuerpo
Juegos
- Payaso cómico
- Simon Says

Ropa
Juegos
- Lotería
- Empaqué mi maleta y le puse . . .

Actividades
- Recortar de un catálogo de ropa para hacer una imagen.
- Vestirse y desvestirse mientras habla sobre la ropa.

Preposiciones
Juego
- Hide and Seek (el escondite)

Actividad
- Hacer una tira cómica acerca de un animal perdido recortando árboles, flores, etc. de revistas.

Nombres de las habitaciones
Actividad
- Recortar láminas de revistas.

Verbos (gerundios)

Juego

- Juego de memoria. Use tarjetas de láminas de gente haciendo algo—por ejemplo, una mujer manejando un automóvil o un niño montando bicicleta.

Verbo (pasado)

Juego

¿Qué viste?   Dictado pictográfico

What did you do?   Salí en una alfombra mágica y vi un hombre. Tenía tres ojos, cuatro orejas, etc.

Sentimientos

Actividad

- Hacer caras para representar *I'm happy, I'm sad, I'm cross, He's laughing, She's crying.*
- Hornear bizcochitos para ponerles caras (vea p. 150)

"Can I have . . .?"

Actividad

- Recortar de catálogos cosas que quieran comprar.

"I like" y *"I don't like"*

Actividad

- Recortar cosas de un catálogo, tales como alimentos que le gustan y que no le gustan.

Desarrollo de destrezas de escuchar

Escuchar es la base de todas las destrezas lingüísticas. Es algo más que oir (vea p. 26) y es una habilidad que se puede desarrollar con la experiencia. Un niño que toca un instrumento musical ha aprendido a escuchar, y generalmente aprende un idioma rápidamente una vez que se da cuenta de lo que se espera de él. La expectativa contribuye a escuchar bien, así que dele algunos lineamientos a su hijo para que sepa qué debe escuchar.

Si usted cree que su hijo no escucha con atención, puede ayudarlo en su propio idioma primero. Comiencen por estar en silencio escuchándolo todo medio minuto. ¿Pudo oir un avión? ¿Qué otra cosa oyó? Comparen notas. ¿Oyeron ambos lo mismo?

Uso de juegos y actividades para evaluar el progreso de escuchar

El juego de pararse encima (p. 92), Simon Says (p. 110).
- Cambie las actividades para que su hijo no pueda predecir y tenga que poner atención.
- Reduzca los gestos suyos para que tenga que ponerle atención a su voz.

Dictado de imágenes y de números
Tenga sesiones breves de solo unos minutos. He aquí un ejemplo:

> *Dibuje un árbol. Póngale siete manzanas al árbol. Dos manzanas serán amarillas, cuatro rojas y una verde. Hay un pájaro negro cerca de la manzana verde, etc.*

Grabaciones en audiocasetes y videos de rimas, canciones o cuentos

Inicialmente, las sesiones de escuchar deben ser cortas. Pídale a su hijo que ponga atención a algo específico. Vuélvalo a tocar para que pueda oirlo una segunda vez para comprobar. Siga aumentando hasta que gradualmente llegue a poder oir una grabación completa.

Rimas, juegos de rimas, cantos y rimas de juegos con los dedos

Si está preocupada de su habilidad en el otro idioma, es posible que pueda ayudar mucho a su hijo simplemente usando rimas y cantos. Usted puede utilizar un audiocasete. Puede extender las rimas y los cantos que aprende su hijo mediante actividades de dibujo y de artes manuales relacionadas. Con tal que escoja rimas simples, logre planificar cómo las va a presentar, y las amplíe mediante actividades, usted podrá ayudar a su hijo a entender y usar algo del otro idioma. También le dará confianza y autoestima, ambos de los cuales son importantes en el aprendizaje lingüístico. Las rimas y los cantos proporcionan una base que es fácil de aprender en el otro idioma. Su valor en el aprendizaje de los lenguajes es subvalorado y subutilizado.

Los niños se aprenden las rimas y los cantos rápidamente, en forma muy similar a como lo hacen en su propio idioma. Al parecer les gusta recitarlos en voz alta, en especial ante un público de adultos que los aprecia.

Un niño de seis años de edad, dijo luego de decir dos rimas muy rápido—Ahora puedo hablar mucho inglés, tal como hacen los adultos cuando hablan.

Para un niño, las rimas y los cantos son frases prefabricadas. Las segundas estrofas donde se han cambiado algunas palabras son frases parcialmente prefabricadas (vea p. 30). Si un niño oye una rima corta o un canto un par de veces, se lo aprenderá.

Selección

Las rimas deben ser seleccionadas con esmero tanto en su contenido lingüístico como en su nivel de interés. Deben sonar atractivas, también. A la hora de seleccionar rimas:

- compruebe que el lenguaje sea útil para su hijo
- verifique que el lenguaje se pueda transferir a otras situaciones.

A pesar de que las rimas tradicionales tienen su lugar en el aprendizaje de idiomas, en vista de su contenido lingüístico es mejor dejarlas para más tarde cuando ya su hijo sepa mucho más.

Es posible alterar o cambiar sus propias rimas o cantos simples para satisfacer las necesidades de su hijo. Esta rima de acción fue personalizada, cambiando el nombre del niño, Tommy Jones, por el del osito de peluche Teddy Bear.

> *Tommy Jones, Tommy Jones*
> *Turn around,*
> *Tommy Jones, Tommy Jones*
> *Touch the ground*
> *Tommy Jones, Tommy Jones*
> *Show your shoes,*
> *Tommy Jones, Tommy Jones*
> *Tell your news.*
>
> y él dice
> *I went to . . .*
> *I'm happy*

Los cantos también pueden ser adaptados o inventados al momento:

> *Cold, cold, much too cold.*
> *Hot, hot, it's not hot.* (haciendo como que se come un helado)

o como si fuera un tren que va cada vez más rápido por la vía:

> *Pears and plums, pears and plums,*
> *Apples and oranges, apples and oranges,*
> *Pineapples and figs,*
> *FRUIT.*

Continúe la actividad haciendo una ensalada de frutas y comiéndola.

Audiocasetes, videos, CD-ROMs y CDs

Existe material en muchos formatos que usted puede utilizar una vez que haya presentado la rima o el canto. Si no puede obtener una grabación apropiada, escriba su propia colección y pídale a un amigo extranjero que le grabe un audiocasete.

Todos los años se publica nuevo material en CD-ROM y en CD. Busque los que le convengan a usted y a su hijo.

Presentación de rimas, cantos y teatros de dedos

Quizás se sienta más cómoda presentando algo del lenguaje específico de la rima antes de presentar la rima, pero esto no es absolutamente necesario, puesto que su hijo puede captar el lenguaje en frases, tales como "Touch-the-ground".

Es posible que tenga que decirle de qué se trata la rima en su propio idioma, pero no intente darle una traducción palabra por palabra.

Muéstrele el significado en vez mediante mímica, una lámina o un objeto. Entender una rima es más fácil que entender frases aisladas, puesto que las rimas representan un cuento completo (como en el caso de la de Tommy Jones).

Presentación paso por paso

Primer paso

Recite la rima pidiéndole a su hijo que la escuche. Es más fácil comenzar con una rima de acción. Las acciones ayudan a entender. El lenguaje rítmico de las rimas es atractivo.

Explique el significado y aisle palabras específicas, usando una foto o lámina o haciendo una acción para que se entienda.

Repítalo una vez más para que el niño se le una en la acción.

Repítalo otra vez, para que se le vuelva a unir.

Repítalo por cuarta vez y prosiga a la siguiente actividad.

Repítalo por última vez antes de terminar la sesión o en algún otro momento apropiado en el día antes de acostarse. La repetición luego de un intervalo de tiempo es buena para el aprendizaje.

Segundo paso

La segunda vez que presente una rima, pídale a su hijo que se le una. Probablemente lo hará sin mucha dificultad.

Repítanla juntos otra vez. Lo hara aún mejor.

La tercera vez, no diga el final para ver si lo completa él. Si tiene dificultad, ayúdelo usando el tono de voz suave y de apoyo.

Repítalo una cuarta vez de la misma manera, y entonces cambie hacia otra actividad.

Antes de terminar la sesión, digan la rima juntos una vez más. Busque un momento antes de dormir para decirla otra vez más.

Tercer paso

La tercera vez que presente la rima, díganla juntos y luego pídale a su hijo que la recite. Es posible que tenga que ayudarlo, especialmente con palabras cortas como *and, the, in.* Permita que lo intente. Saldrá mucho mejor. Si parece estar interesado, deje que la diga una tercera vez solo, uniéndose a él solo en las acciones. Ya está listo para oir la grabación. Permítale oirla y gradualmente ajustará su pronunciación hasta que se aproxime a la del locutor. Cuando ya esté en esta etapa, a menos que usted se sienta confiada en su propia pronunciación, comience la rima, pero deje que la voz de él domine, pues se supone que será más cercana a la voz en la grabación.

Cuando ya pueda recitar la rima bien, asegúrese de darle la oportunidad de que se la diga al resto de la familia. Sus felicitaciones harán que quiera seguir aprendiendo otras rimas.

Muchas madres experimentan que pueden presentar una nueva rima, canto o teatro con dedos cada semana. Es así como gradualmente construyen un repertorio de donde seleccionar materiales para cantar u otras actividades rápidas con la familia.

Juegos de rimas

Comenzar (seleccionar) los juegos

La mayoría de los idiomas tienen ricos acervos de juegos de rimas que eliminan jugadores contando o mediante otros medios para seleccionar un líder o un seguidor. (vea p. 106).

Algunos de estos juegos han llegado a ser internacionales (vea p. 109) siendo divertido jugarlos en diferentes idiomas.

Apple, peach, pear, apricot	*Pomme, pêche, poire, abricot.*
There is one	*Y en a une*
There is one	*Y en a une*
There is one	*Y en a une*
Too many.	*De trop.*

Otros juegos de rimas no son juegos de empezar (por ejemplo, *Round and round the garden goes the little mouse*). Es posible añadirle su propio juego a estas rimas. Esto le da la oportunidad de presentar lenguaje de conducir un juego (Te toca a ti, etc., vea p. 107).

Actividades relacionadas

Las rimas y los cantos pueden proporcionar la base de contenido desde la cual usted puede desarrollar actividades de artes manuales, cocina, dibujo y pintura, tales como hacer una ensalada de frutas o recolectar nombres de helados en inglés. Las actividades proporcionan la oportunidad de practicar el lenguaje de la rima o del canto en situaciones cotidianas.

Aprender a leer con rimas

Las rimas y los cantos le ofrecen a su hijo una orientación de los sonidos y formas de decir las cosas del nuevo idioma. Él irá confeccionando un banco de expresiones y palabras que sabe pronunciar bien. También regresará a las rimas cuando precise recordar cómo se pronuncia una palabra. Es interesante ver adultos que han olvidado por completo un idioma estudiado, excepto que recuerdan las rimas que estudiaron de niños.

Es un hecho bien establecido que los niños que tienen mucha experiencia con sonidos que riman aprenden a leer con mayor facilidad. En cualquier idioma, se le facilita el aprendizaje a cualquier niño que conozca rimas de memoria.

En un idioma extranjero, aprender a leer usando rimas es una forma ideal de comenzar, puesto que le asegura a los niños una pronunciación correcta. Una vez que conozcan muchas rimas y cantos de memoria, pueden empezar a leer, siempre y cuando ya sepan leer en su propio idioma (vea p. 130). Los niños mayores quieren leer en el nuevo idioma, y si usted retrasa esto demasiado, se pueden frustrar. Antes de que presente la lectura, asegúrese de que su hijo conoce el alfabeto del nuevo idioma, pudiendo nombrar todas sus letras (vea p. 128).

Hacer un fichero de rimas y libros

Cuando los niños pueden leer rimas que conocen de memoria, les gusta copiarlas para hacer tarjetas de felicitación o en hojas para hacer libros de rimas. Es importante personalizar las rimas para crear sus libros propios—lo cual las diferencia de ediciones comerciales de rimas. Se sabe que hay gente que todavía conserva los libros de rima de cuando estudiaban inglés.

Canciones

Las canciones juegan un papel vital en el aprendizaje de otro idioma, pero se debe de tener en cuenta que las mismas distorsionan la pronunciación para acomodar la melodía. A los niños también se les dificulta transferir el lenguaje cantado al habla. Para ayudarlos a sobreponer estos obstáculos, es buena idea pronunciar las palabras de las canciones sin cantarlas.

Algunas canciones infantiles en el otro idioma tendrán un vocabulario demasiado extenso, y es mejor dejarlas para luego. Otras son demasiado complejas musicalmente. Seleccione canciones que tengan un ritmo pegajoso, que sean repetitivas, y a las cuales usted pueda añadir acción, caso que no las tengan. Y que tengan un corito también, y si no lo tienen, repita usted el último o últimos versos.

Recuerde, no es necesario que usted sea un gran cantante para poder presentarle canciones a los niños. Cuando su hijo se sepa una canción, comenzará a mejorar la forma en que la canta, y pronto se asemejará a la grabación. Al seleccionar una grabación, no escoja una hecha por ejemplo por un gran cantante de ópera, ya que su tono será muy diferente al de su hijo o al suyo, y no les será tan fácil imitarlo.

Presentar una canción

Toque la canción antes del apresto varias veces antes de presentarla. De esta manera ya su hijo la conocerá.

Primer paso

- Primero dígale al niño de qué se trata la canción, usando gestos, una lámina o algún objeto para comunicar el significado. Luego cante parte de la canción.
- Repita la misma parte de la canción.
- Diga las palabras.
- Cántela de nuevo y pregúntele si desea acompañarla con palmadas de las manos mientras usted la canta. Inclusive es posible que se le una en cantar.
- Repítala de nuevo para que tenga la ocasión de hacerlo mejor, y entonces cambie de actividad.
- Momentos antes de terminar el rato del otro idioma, o antes de irse a dormir, cántela de nuevo, y deje que la acompañe con gestos y movimientos. ¡Hay padres que creen que la hora del baño es buen momento para esto!

Segundo paso

- Primero cante la parte conocida de la canción y deje que su niño se le una cantando o dando palmadas con las manos.
- Entonces presente el resto de la canción y repítala.
- Diga los nuevos versos de la canción.
- Cántela de nuevo, pidiéndole que la acompañe si quiere cantándola o dando palmadas. Repítala de nuevo para que pueda mejorar la canción.
- Ahora oigan la grabación juntos. Es posible que no pueda unirse a la canción, pero su hijo será capaz de entender la grabación.

Tercer paso

- Canten juntos la canción
- Repítanla.
- Entonces canten la canción con la grabación.
- Entonces túrnense en cantar versos alternos de la canción. Empiece usted. Repítala. Les saldrá mejor la segunda vez.

Grabaciones

Use grabaciones tanto como le sea posible, una vez que haya presentado la canción usted misma. Si no puede lograr obtener el tipo de grabación que necesita, pídale a un amigo que hable el otro idioma que le haga una.

Acompañar las canciones

Trate de ir confeccionando un repertorio de canciones que van a cantar con la grabación. Esto es un buen método de calentamiento. Son también buenas para los ratitos informales en el automóvil, en reuniones familiares y a la hora del baño.

Le toca a usted sostener el interés de cantar con las grabaciones. Puede incluir rimas y cantos y juegos de recitar, además de canciones. No sea usted siempre la que selecciona el programa.

Cuando esté con los demás familiares deje que todos tengan su voto.

Varíe la manera en que canta o dice las cosas. Tomen turnos, estrofa por estrofa o verso por verso. Altere el tono de voz y la velocidad. Acompañar una grabación es algo divertido, y que poco a poco se va haciendo mejor y mejor.

Preguntas que hacen las madres

Mi hijo no aprende las rimas rápidamente.

¿Lo ha llevado al médico? Es posible que esté leyendo los labios en su propio idioma para compensar una falta de audición. Esto no le es posible en otro idioma cuando está recién empezando. Párese detrás de él y diga algo en español a ver si responde. Luego diga algo en el otro idioma, sin ninguna otra pista, como gestos, que lo puedan ayudar. ¿Entiende? Si tiene dudas llévelo al médico.

A los niños se les dificulta oir cuando tienen catarro. Esto es sólo temporal. Si su hijo tiene catarro, asegúrese de repetir las cosas a menudo de forma que la pueda oir y leer sus labios. Si presenta demasiado lenguaje nuevo cuando está enfermo, no la podrá oir y no entenderá.

A mi hijita le están saliendo los dientes delanteros y se le dificulta decir algunas cosas. ¿Debo pedirle que las repita?

Cuando uno pierde los dientes de adelante uno no puede decir muchas cosas bien. Digan las cosas juntos, pero no le pida que diga nada hasta que se sienta bien en hacerlo. De todas maneras aprenderá y se estará divirtiendo. Pero sería molesto insistir en que pronuncie cosas que no le van a salir bien. Si se avergüenza, es posible que abandone el estudio del nuevo idioma. Lo mismo aplica a chicos que tienen frenos en los dientes, y que precisan de cierto tiempo de adaptación antes de lograr pronunciar bien de nuevo.

Resumen

Las familias que disfrutan los idiomas pueden jugar juegos y recitar rimas. Por medio de estas cosas pueden comunicar disfrute y entusiasmo a sus hijos, a la vez que le dan una buena fundación lingüística. Personalización y transmisión de entusiasmo y goce son partes vitales del proceso de aprendizaje. Esto es especialmente cierto en el caso de los niñitos muy chicos.

CAPÍTULO SIETE

Lectoescritura

La mayoría de los niños que ya saben leer, aprenden a leer en el otro idioma sin pensarlo, esto es, si saben un mínimo de palabras en el nuevo idioma, y conocen su sistema fonético. Usualmente han captado mucha información fonética de las rimas y cantos. Los niños que ya saben leer conocen el propósito y la mecánica de la lectura, y solamente tienen que descifrar el lenguaje extranjero escrito. Si comienzan leyendo cosas que ya saben decir, la decodificación resulta muy fácil, y logran captar la pronunciación correcta. A los niños les gusta descifrar el código del idioma extranjero. Hallan que esto es algo interesante y que viene a ser un reto. Es como descifrar un código secreto o mágico, que los fascina a las edades de ocho o nueve.

Momento de presentar la lectura

Es necesario que los niños hablen algo del otro idioma antes de empezar a leer. Esto es lo que hicieron en su propio lenguaje. Sin embargo, no deje que pase demasiado tiempo sin que su hijo lea, o corre el riesgo de que pierda la motivación. Dos años es un tiempo muy largo si ya uno sabe leer en su propio idioma. Si van a visitar un país donde se hable ese idioma, van a estar rodeados de anuncios escritos, letreros, avisos y demás textos, y él los querrá leer. Y si no puede leer nada, se sentirá mal, y si intenta leer usando el sistema de su idioma lo hará mal con mala pronunciación.

Si su idioma y el nuevo tienen diferentes sistemas de caligrafía, no se preocupe, su hijo aprenderá el nuevo sistema. Presente la escritura gradualmente, comenzando por hacer movimientos con los brazos en el aire. Si puede obtener letras de papel de lija o formas de letras, verá que su hijo aprende más rápidamente, pues el sentido del tacto, valiéndose de los dedos índice y del corazón, complementa lo que se aprende de los movimientos de los brazos. Recuerde, los dedos recién lavados son más sensibles al tacto.

Si su hijo le pide leer, deje que empiece con rimas que se sabe de memoria. Leer estas rimas colmará su deseo y curiosidad iniciales. También le permitirá retrasar la presentación de otro material de lectura hasta más tarde, cuando sea capaz de utilizar más lenguaje.

Si su hijo no sabe leer, es mejor dejar que desarrolle estas habilidades en su propio idioma, dejando para luego la lectura en el nuevo idioma.

Presentar el alfabeto

Antes de presentar la lectura, necesitará presentar los nombres de las letras del alfabeto, pues de lo contrario el niño tendrá que usar los nombres de las letras de su alfabeto para hablar de las palabras en el nuevo idioma. Además de no ser natural, esto interfiere con el aprendizaje. Obviamente, si la caligrafía es diferente, tendrá que aprender el nuevo sistema de escritura antes de empezar a leer. La manera más rápida es aprenderse una canción del alfabeto en el nuevo idioma. Las canciones del abecedario son difíciles de encontrar, pero existen. La gente que aprendió un idioma extranjero de adultos, usualmente no las conocen. Si no puede encontrar una grabación, pídale a una persona que hable el otro idioma que le haga una.

Primer paso

Cante la canción del alfabeto y repítala hasta le letra *g*.

Si no encuentra un audiocasete de la canción, pídale a una persona que hable ese idioma que le haga una grabación.

Segundo paso

Cante el alfabeto hasta la *g* y presente las letras hasta la *n*.

Tercer paso

Cante el alfabeto hasta la *n* y presente las letras hasta la *t*.

Cuarto paso

Cante el alfabeto hasta la *t* y presente las letras hasta la *z*.

Cuando su hijo conozca los nombres de las letras, presente tarjetas con letras y comente sus similitudes y diferencias. Hable de los acentos y de las diferentes formas de las letras. En este instante no es buena idea hablar de diferentes estilos de caligrafía que se puedan usar en el otro idioma, ya que pueden ser muy diferentes a las que usa en la escuela—por ejemplo, la letra cursiva alemana es difícil hasta para los adultos. Más tarde, cuando sepa leer bien, es el momento de tocar el tema de la caligrafía. En las etapas principiantes, sería un obstáculo adicional hablar de esto.

La mayoría de la gente, hasta en su propio idioma, tiene dificultad en decir los sonidos de las letras aislados. Es mucho más fácil cuando se unen vocales y consonantes. Los sonidos de algunos idiomas son más fáciles que otros, así que a menos que usted esté muy segura de los sonidos, es mejor no usar los sonidos de letras individuales. Ayude a su hijo a oir los sonidos de palabras que ya se sabe, ayudándolo a reconocer palabras que riman. Usted lo puede ayudar mucho con los sonidos del nuevo idioma usando lenguaje que ya conoce y sabe usar. A la vez lo estará ayudando a desarrollar sus destrezas de audición.

Los siguientes juegos también son buenos para reconocer sonidos.

Espía

Esto ayuda a reconocer sonidos iniciales. Diga—*I can see something beginning with b.* (Puedo ver algo que empieza en *b*.) Haga el sonido de la letra en la palabra no el nombre de la letra, o sea, no diga "bee" diga "b—" mientras sujeta con la mano la tarjeta de la letra. Luego diga—*What is it?* mirando en la dirección de la cosa. Su hijo debe adivinar. Haga hincapié en el sonido inicial de la palabra varias veces antes de preguntar de nuevo.

Rimas

Esta es una actividad lúdica que juega con palabras y sonidos que riman. Recite una rima y luego seleccione una de las palabras que riman. Pídale a su hijo que le diga otras palabras que riman con ella. Hay niños que son muy buenos en jugar en su propio idioma, y que pueden transferir esta habilidad—una vez que se le muestra cómo hacerlo—a su próximo idioma. Si su hijo tiene dificultades en el otro idioma, practiquen juntos en otro momento en español.

Leer rimas y cantos de punta a punta

Cuando ya su hijo se sepa unas 15 rimas y cantos bien, y haya practicado el lenguaje en diferentes ocasiones, y si ya sabe leer, usted puede comenzar a leer con él en el otro idioma.

Hagan su propio libro de rimas y cantos en letra cursiva o de molde. Coloque una rima en cada par de páginas que se besan para que cada rima represente un sola experiencia para su hijo. Escriba en letra negrita, dejando buen espacio entre las estrofas.

Fotocopie o haga una segunda copia de cada rima para usarlas en hojas por separado.

Primer paso

Comience con el canto o rima más simple. Si tienen más de ocho palabras, sólo presente la mitad de las palabras para empezar.

Haga un fichero de tarjetas de palabras y preséntelas una a una. Entonces muéstrele a su hijo cómo escribir una rima colocando las tarjetas en una mesa como si fuera el texto de una hoja. Repítalo, permitiéndole "escribir" la rima mientras usted la dice.

One	two	three
Jump	with	me
Jump	jump	jump
Jump	like	me

Esta rima tiene en total ocho palabras. *One, two, three* ya eran conocidas, así que hay cinco palabras nuevas.

Segundo paso

Repita el primer paso. Si no ha completado la rima, termínela. Si ya la ha completado, presente las tarjetas del fichero para hacer una rima nueva. Luego escríbala valiéndose de las tarjetas. No presente demasiadas tarjetas de una vez.

Cuando ya su hijo pueda escribir tres o cuatro rimas de esta manera, muéstrele la hoja de la primera rima. Él verá que la puede leer. No se olvide de felicitarlo. Permítale que decore la hoja y léanlas varias veces juntos. Guarde la hoja decorada en una carpeta.

Siga agregando más tarjetas al fichero de rimas de la misma manera. No presente las hojas con el texto al mismo tiempo que redacta las rimas con las tarjetas. Debe siempre de haber un rezago entre las dos actividades.

Cuando su hijo haya completado todas las hojas, deje que las reúna todas en un libro de rimas. Coloque este libro de rimas con los demás libros en el rincón del otro idioma.

Juegos de lectura

Cuando su hijo ya sepa leer algunas rimas, amplíe su lectura a juegos que ya haya jugado con dibujos. Al igual que con las rimas, ya él sabe usar el lenguaje específico de estos juegos, así que los leerá con la pronunciación correcta.

Juegos de memoria

Cambie uno de los dibujos de cada par de tarjetas al nombre escrito. Es importante no escribir sólo el nombre *dog* sino también el artículo indefinido *a dog*. El género de los nombres (masculino, femenino o neutro) se aprende con la práctica. Con la práctica se va haciendo automático. Presente algunas tarjetas escritas hasta que todos los pares consistan de un dibujo y una tarjeta escrita.

Snap

Altere las palabras de un juego de memoria.

Lotería

Altere todos los cuadros del tablero para que estén escritos.

Presente nuevos juegos y actividades lúdicas como práctica de lectura. Por ejemplo, haga tarjetas de búsqueda de tesoro que digan dónde están las cosas: "under the table" o "on the big chair".

Lectura de libros

Libros de cuentos

El habla es diferente del idioma escrito. Muchos niños tienen dificultad en transferir sus conocimientos de conversación informal a escritos con estilo formal. Es por eso que es mejor comenzar con libros escritos en estilo hablado, ya que este es el tipo de lenguaje que el niño usa y conoce. Más tarde, cuando tenga más experiencia, preséntele libros con estilo escrito formal.

Comience con libros de cuentos que ya conozca—ya usted le ha contado el cuento con las ilustraciones pero sin leérselo. Si usted le ha contado el cuento varias veces, es posible que ya conozca parte del lenguaje de memoria, lo cual lo ayudará a descifrar el texto.

Primer paso

Presente algunas de las palabras en un fichero de tarjetas. Estas pudieran ser las palabras en la portada del libro. Hable de los sonidos de las primeras letras de las palabras, pidiéndole que empareje las palabras con las tarjetas. Entonces tome una tarjeta y mire a ver si puede encontrar la misma tarjeta en otras páginas del libro.

Segundo paso

Repita el primer paso, presentando tarjetas del fichero para la primera página del cuento. El texto deberá ser de una, o a lo más, dos oraciones. Pídale que redacte el texto con las tarjetas del fichero.

Continúe página por página en la misma manera, hasta que pueda leer el libro entero. Habrá palabras que se repiten, así que notará que tiene que hacer menos tarjetas a medida que progresa en el cuento. También mejorará su velocidad de lectura a medida que obtiene más práctica.

Siga presentando muchos libros simples hasta que tenga su propia biblioteca de libros simples que puede leer. A medida que aumenta su banco de palabras personales, háblele de las palabras. Señale por ejemplo que hay letras al final de algunas palabras que son silentes. Pídale que busque otros ejemplos de esto. Muéstrele cómo el examinar las palabras nos ayuda a crear reglas de ortografía. Si usted le da las reglas, no se va a recordar de ellas.

Libros ilustrados en el otro idioma

Es conveniente hacer una colección de libros ilustrados que originalmente fueron hechos en el otro idioma, para que así pueda él absorber algo de la cultura nueva. Es muy valioso que su hijo conozca cuentos auténticos de la otra cultura, para que esté más en ella.

Libros ilustrados "internacionales"

Hay libros que han sido traducidos a muchos idiomas, como Spot, Babar, Tintin, Asterix, etc. A pesar de que el texto está en diferentes idiomas, el contenido y las ilustraciones representan la cultura del país donde originalmente se escribió el libro. Si el texto es simple y contiene idioma conversacional, es posible que su hijo lo disfrute. Si ya ha leído el libro en su propio idioma, ya conoce el cuento, lo cual quiere decir que solamente tiene que concentrarse en descifrar el texto.

Traducciones suyas de libros favoritos

Hay madres que traducen los libros favoritos de sus hijos al otro idioma. Escriben el texto a mano debajo de las palabras impresas. A veces piden ayuda a algún amigo que habla el otro idioma, a la vez que le piden que les haga un audiocasete.

Libros ilustrados y casetes

Los audiocasetes pueden ser un buen apoyo después que usted a presentado un cuento. La manera en que usted presenta un cuento es importante. Sin su presentación personal su hijo se demorará mucho más en entender el cuento y en disfrutarlo. Al personalizar el cuento, usted lo hace más accesible al niño.

A los niños les gusta oir grabaciones, especialmente si están bien hechas y con efectos de sonido. Si su hijo conoce bien el cuento, podrá oir la grabación sin seguir el libro. Si el cuento contiene muchos diálogos, pronto verá que se los sabe de memoria. Esto quiere decir que usted podrá hacer una representación del cuento con títeres o de otras maneras.

Diccionarios bilingües ilustrados

A los niños les gusta mirar diccionarios bilingües ilustrados, buscando palabras que conocen en los dos idiomas. Si su hijo ya conoce las dos palabras bien, usted se sorprenderá de lo bien que puede pronunciar cada palabra con perfección. Si no sabe leer la palabra en el otro idioma, es posible que trate de descifrarla usando los sonidos de su propio idioma. El resultado será que la pronunciará como se hace en su idioma. No haga comentarios, simplemente repita la palabra correctamente.

Los diccionarios bilingües ilustrados proporcionan una fuente de palabras traducidas, pero es posible que no siempre proporcionen la ilustración correcta. Por ejemplo, el pan tiene una apariencia muy diferente de una cultura a otra. Por este motivo es buena idea comprar un diccionario monolingüe editado en el otro idioma, en vez de un diccionario monolingüe al cual se le ha añadido un segundo idioma para hacerlo bilingüe. Las ilustraciones de un diccionario monolingüe estarán de acuerdo a la cultura. La selección de buenos diccionarios monolingües será mejor en el país de origen, así que trate de comprar uno cuando usted o alguien esté de viaje.

Sin embargo, no importa cuál diccionario ilustrado usted use, usted estará ayudando a su hijo a desarrollar habilidades del uso de diccionarios. También estará obteniendo más práctica en el uso de artículos como por ejemplo *a* y *the* en inglés.

Pídale a su hijo que busque algo en el diccionario. Convierta esto en un juego añadiéndole suspenso a su voz.

Señale algo y pregúntele—¿Qué es esto en inglés?

Pídale que le muestre su animal favorito, su juguete favorito, etc.

Después de usar diccionarios bilingües comerciales, quizás quiera hacer su propio diccionario ilustrado (vea p. 148).

CD-ROMs y CDs

Si su hijo está acostumbrado a usarlos en su propio idioma, trate de conseguirle uno en el otro idioma. Él se enseñará mucho él mismo, pero la información será pasiva. No podrá transferirla a la forma hablada sin su ayuda. Trate de usarlos juntos de vez en cuando. Hablen de las ilustraciones en la pantalla y transfieran algo del lenguaje a la vida diaria.

Libros de texto

Use un libro de texto como guía para usted, pero no se lo muestre a su hijo. Aunque los libros de texto pueden tener algunas actividades útiles, su uso puede echar a perder el ambiente especial que tienen ustedes. Puede hacerle pensar a su hijo que usted le está enseñando, y que aprender otro idioma es como estar en la escuela. Esto puede alterar su actitud hacia el aprendizaje y hacia usted.

Caligrafía

La escritura a mano de los niños varía de país a país. No es necesario que su hijo cambie su estilo de caligrafía cuando esté escribiendo en el otro idioma para que sea semejante al de la otra cultura.

Si él hace algún comentario en referencia al estilo diferente, pregúntele qué es lo que nota. Es posible que tenga dificultad en descifrar algunos de los estilos de caligrafía. No se preocupe: a muchos adultos le pasa lo mismo. Ayúdelo a leer lo que es necesario, y no malgaste el tiempo en esto.

Copiar

Copiar es muy importante y a menudo no se le da valor. La ortografía se aprende por la destreza motriz de escribir. Así que dele a su hijo amplias oportunidades de copiar cosas, pero asegúrese de que hay un motivo real para hacer una copia. Por ejemplo, rimas para un libro, una lista para ir de compras, recados, invitaciones, etc.

Escritura creativa

Hasta que su hijo tenga mucha experiencia, la redacción creativa se hace mejor como un esfuerzo cooperativo entre ustedes dos. Si su hijo escribe una tarjeta postal a un amigo por correspondencia, compongan el texto juntos en lenguaje hablado. Entonces escriba el texto usted, para que él lo copie. Él se lo puede dictar a usted para ir observándola mientras usted lo escribe palabra por palabra. Él aprenderá más de copiar el texto correcto que de tratar de escribir las palabras que no conoce y que le saldrán mal por falta de suficiente experiencia en el otro idioma.

Gramática

Los niños averiguan por sí solos cómo es que funciona el lenguaje. Ya lo han hecho exitosamente en su propio idioma y lo podrán repetir en el otro idioma, si se los permitimos y si les damos suficientes oportunidades de edificar su propia conciencia gramatical. Este período preparatorio es esencial. No caiga en la trampa de tratar de decirles las reglas gramaticales. No hará que aprendan más rápido. De cualquier modo, es posible que no entiendan su manera de explicarle las reglas, y esa puede que no sea la forma en que ellos ven el lenguaje.

La mejor contribución al aprendizaje gramatical que usted puede darle es ayudarlo a desarrollar su conciencia de los patrones del lenguaje. Por ejemplo, en francés, puede jugar el juego de memoria un día usando sólo palabras masculinas, y la próxima vez solo palabras femeninas. Puede que él comente sobre esto. Si no lo hace, usted puede hacérselo notar. Espere a ver qué dice al respecto. No caiga en la tentación de darle una regla adulta de inmediato. El género se aprende mejor con la práctica, y con el tiempo uno lo intuye. Es posible que hayan momentos chistosos con esto del género—por ejemplo, en francés se dice *un soldat* (un soldado) pero *une sentinelle* (una centinela no un centinela).

Tal como lo hizo con su propio idioma, probablemente se valdrá de información que ha almacenado como punto de referencia en el uso del nuevo idioma. Desde luego, no siempre lo hará bien, pues es posible que trate de aplicar una regla general a una excepción (vea p. 27), pero continúen con errores y todo repitiendo el lenguaje correcto. Los niños tienden a temer más los errores que las niñas. No quieren que se les vea como estúpidos y pueden evitar correr riesgo. Es importante que usted anime a su hijo a tomar riesgos como manera de aprender.

Si está aprendiendo gramática en su propio idioma, es posible que trate de transferir esta información al otro idioma. Ayúdelo a recolectar nombres y verbos, si esto es lo que quiere hacer.

Si el otro idioma es una asignatura en el colegio, y le están enseñando reglas gramaticales formales, usted lo puede ayudar dándole tanta experiencia como pueda en el uso de aspectos del lenguaje que tengan que ver con estas reglas. No lo confunda tratando de reeseñarle las reglas. Usted no lo hará de la misma manera exacta que la maestra. Es importante apoyar el método de ella y no tratar de substituirlo con las reglas suyas.

Ortografía

Su hijo ya conoce el uso de la ortografía en su propio idioma, y podrá transferir algunas de sus habilidades de aprendizaje al nuevo idioma. Trate de lograr que su hijo se habitúe a deletrear usando los nombres de la letras en el nuevo idioma, por ejemplo, en inglés la *y* griega se dice "uai". Si no hace esto su progreso será limitado, puesto que estará contínuamente cambiando de un idioma a otro. A veces pídale que le deletree palabras en voz alta cuando las esté copiando de un texto. Sin embargo, es mejor que no las deletree letra por letra sino en sílabas, para que se acostumbre a los grupos de letras que a menudo van juntas, como en inglés *do-ing* y *care-ful*.

Coleccione siglas que se usan en el otro idioma. Por ejemplo, SNCF y TGV en los itinerarios de trenes franceses.

No trate de que aprenda ortografía de memoria. Las palabras que se aprenden fuera de contexto pronto se olvidan.

En vez de esto, ayúdelo a observar palabras:

- haciendo comentarios acerca de las letras, los patrones, los acentos y las formas.
- jugando con palabras que riman
- dividiendo palabras en sílabas *(do-ing, play-ing, e-le-phant, te-le-vision)*
- recolectando prefijos y sufijos
- observando letras iniciales y finales, pares de letras y grupos de letras.

Ayúdelo a escuchar las palabras y cómo cambian. Hasta los más pequeñines pueden percatarse del cambio en sonido de los adjetivos femeninos en francés, por ejemplo *vert/verte* (verde) y *petit/petite* (chico/chica). No precisan que se les enseñen las reglas que los adultos necesitan saber.

Disfrute las palabras con su hijo. De esta manera él desarrollará un interés en ellas y se sentirá confiado y seguro en usarlas.

Cuanto mayor sea su experiencia con palabras, mejor será su ortografía.

Preguntas que hacen los padres

Mi hijo tiene ocho años de edad y lee inglés con acento español. ¿Qué puedo hacer?

Esto se debe a que empezó a leer inglés sin tener suficiente experiencia oral en el idioma. Está usando las técnicas españolas para descifrar el inglés, así que lee las palabras como si fueran palabras en español. No deje que lea nada de inglés que no sepa decir. Apréndanse algunas rimas y cantos juntos y entonces deje que los lea (vea p. 130). De ahí prosiga a jugar juegos de lectura (vea p. 132). De esta manera estará agregando a un banco de palabras que sabe leer. Al mismo tiempo estará relacionando el sistema fonético y cómo se relacionan los sonidos a las letras. Luego preséntele cuentos, pero cuéntele el cuento varias veces de antemano para que se sepa el lenguaje antes de empezar. Entonces ya estará comenzando a utilizar reglas inglesas de decodificar que habrá captado gradualmente de su experiencia.

Mi hijo quiere saber lo que significa cada palabra que lee en inglés.

Los niños están más preocupados que las niñas en cometer errores, y esto puede ser parte del problema. Quizás los textos sean demasiado difíciles. Aumente su confianza dándole mucha práctica con rimas, canciones y textos fáciles. Háblele de las palabras (vea p. 139) y asegúrese de que ya se ha tropezado con todas las palabras del texto para reducir su ansiedad. Haga un diccionario con él y enséñele cómo se usa un diccionario ilustrado para que él sepa buscar palabras por sí solo. Estas diversas experiencias le ayudarán a alterar su enfoque hacia los textos.

Resumen

Cuanto más rica sea su experiencia, con mayor rapidez descifrará un niño el sistema de un lenguaje para contruir su propia gramática. Los padres pueden proporcionarles a los hijos experiencias ricas. Trabajando con ellos individualmente, pueden darles atención individual—actividades que no se hacen en las clases. Para acelerar el aprendizaje, los padres pueden ayudar a los niños a desarrollar su conciencia fonética del nuevo lenguaje, así como de las estructuras que lo sustentan. Estas variadas experiencias con el otro idioma se verán reflejadas en las nuevas nociones que tendrán los niños sobre su propio idioma.

CAPÍTULO OCHO

Cuentos, proyectos y otras oportunidades de aprendizaje

Cuentos

La importancia de los cuentos para el crecimiento y bienestar de su hijo, especialmente para el desarrollo creativo y lingüístico, no debe ser subvalorada. Los niños pequeños dicen casi todo lo que dicen en forma de cuentos reales o inventados, de muy diversas formas. También se enteran de lo que otros dicen y piensan por medio de cuentos. Los adultos usan más los cuentos de lo que suponen. ¿Recuerda la última conversación que tuvieron en casa a la hora de cenar? ¿O la última conversación telefónica que tuvo con una amistad? Seguramente incluyeron uno o dos relatos de lo acontecido, y algo de los planes futuros de ustedes.

Es bien conocida la relación existente entre la lectura en casa a los niños y su futuro éxito escolar. Esto también es cierto en el caso de aprender otro idioma. Sin embargo, no es solamente la lectura que es importante, es la selección del cuento y las conversaciones que tienen lugar antes, durante y después del cuento. Usted sabe que después de ver una buena película, la trama le vuelve a la mente una y otra vez, y usted disfruta de comentarla una y otra vez con alguien que la haya visto también. Es lo mismo con su hijo. Así que asegúrese de leerle el cuento una y otra vez, y de regresar al mismo en el futuro. Refiérase a él en los ratitos informales también. La repetición es muy importante en el aprendizaje lingüístico, y parte del lenguaje del cuento podrá llegar a ser parte del lenguaje de la familia.

> *Un niño mexicano de ocho años de edad, había oído y representado el cuento* Red Hen's Cake, *y finalmente hizo una tarta con su mamá. A estas alturas ya se sabía la mayor parte del lenguaje en inglés de memoria. Un día su mamá le preguntó en español si la podía ayudar con los quehaceres de la casa. Él le contestó en inglés con el lenguaje utilizado en* Red Hen's Cake—Sorry, I can't. I'm busy. *De ahí en lo adelante, cada vez que la mamá necesitaba ayuda, le preguntaba*—Can you help me, please? *y la respuesta, positiva o negativa siempre venía en el inglés del cuento. Pronto se convirtió en el hábito de la familia que cualquier miembro contestara en inglés. El hábito duró por muchos años.*

Uso de los cuentos

Mucho antes de que su hijo comience a leer en el otro idioma, usted puede presentarle cuentos.

Haga sus propios cuentos cortos basados en:
- dibujos que haga
- un juguete o un "amiguito" extranjero (vea p. 60)
- un títere
- las láminas en un libro de cuentos ilustrado
- los anuncios en una revista en el otro idioma.

Los cuentos acerca del "amiguito" pueden desarrollarse en una mininovela. Cada vez que estén en el rato para el otro idioma cuenten un episodio de sus peripecias diarias. La mayor parte de los niños conoce el estilo de contar de una novela de televisión, y cómo relata acciones familiares a ellos, es una oportunidad de lenguaje personalizado.

Un cuento ilustrado

Primer paso

Divida una hoja de papel en seis cuadrados, numerándolos. Recorte seis muebles de un catálogo o revista extranjera. Pegue un mueble en cada cuadro. Recorte una mariposa, una abeja o una mosca y colóquela sobre el primer cuadro—digamos en el sofá.

Pregúntele a su hijo—*Where's the fly?* Él contesta—*It's on the sofa*—o—*on the sofa.* Continúe—*Where's the fly now?* colocando la mosca sobre la silla. Continúe hasta que llegue al último cuadro.

Segundo paso

La segunda vez su hijo es el que pone la mosca donde él quiera, y es usted la que responde a sus preguntas.

Tercer paso

La tercera vez, deje que él dibuje la mosca en las láminas y usted hace las preguntas. Deje que él haga un séptimo dibujo de la mosca volando por el aire del otro lado del papel. Digan juntos—*Bye, bye fly.*

Se pueden hacer cuentos similares acerca de:

- automóviles en una ciudad
- un animal—una mascota, un dinosaurio
- un niño en una tienda
- un viaje usando láminas de un catálogo de barcos
- una visita a una ciudad

Los cuentos se transfieren fácilmente a los juegos de escondite (vea p. 98).

Libros de cuentos ilustrados comerciales (vea p. 133)

Antes de presentar el cuento, léase el cuento varias veces y familiarícese con la trama esencial del cuento y su lenguaje. Decida cuáles son los puntos del cuento que son esenciales para la comprensión, y qué lenguaje es el que quiere que su hijo recuerde y comience a usar. Un buen método es imaginar que está reescribiendo este cuento como un libreto corto para una actuación. Verá que tendrá que dejar fuera algunos episodios y gran parte de los detalles las primeras veces que cuenta el cuento. No se preocupe. Gradualmente expanda el cuento a medida que hace subsiguientes lecturas, hasta que su hijo pueda manejar el cuento bien.

Practique contar el cuento o volver a leer el cuento de antemano en un momento libre. Hay gente que prefiere practicar frente a un espejo. La práctica le da la oportunidad de ensayar el uso del otro idioma para ver cuán bien lo puede combinar con:

- hablar o leer despacio y claramente sin distorción
- incluir pausas para añadir emotividad
- usar voz alta, baja, suave, fuerte cuando sea necesario
- usar bien los ojos
- usar bien las láminas.

Busque una manera de presentarle el cuento a su hijo. Comience por recordarle algo, si acaso en su propio idioma, que él o ustedes hicieron juntos—¿Recuerdas cuando . . .?

Anímelo a decir con usted o solo las partes del cuento que se repiten, si es posible en el otro idioma, tal como hacía de niño cuando usted le leía los cuentos. Le encantará usar voz grave para hacer de gigante, o el miao de un gato. Dele tiempo para buscar las láminas en el libro y reflexionar.

Cuando ya haya presentado el cuento entero, estará lista para mirar el libro u oir el audiocasete a la vez. Pronto verá que se lo ha aprendido de memoria. Entonces querrá leérselo a usted. Pudieran empezar turnándose en leer las páginas para que no tenga tanto trabajo. Pero este advertida: le criticará su pronunciación al compararla con la del audiocasete.

Drama

Los cuentos fácilmente se pueden actuar. Como ustedes son dos nada más, es mejor usar títeres o marionetas para ustedes dos. No es necesario invertir mucho tiempo en utilería. El efecto es el mismo, si importar el grado de elaboración artística. El propósito principal es usar el títere como instrumento lingüístico.

Puede hacerlos de cartón, dibujando el torso y cara del personaje, haciendo debajo dos hoyos para colocar los dedos índice y del medio para que puedan caminar. Esto proporciona la ocasión para hablar de las partes del cuerpo.

El escenario puede ser algo muy simple, una mesa o una silla. El niño se esconde tras el mantel o la silla para manipular las marionetas o los títeres. Para un niño algo simple funciona bien. El propósito principal es practicar el otro idioma, luego es mejor hacer más representaciones simples que unas pocas muy complicadas pero que no dan mayores oportunidades de práctica.

Verá que tendrá que reescribir el cuento en forma verbal en sus representaciones. Escriba legiblemente y haga buenas fotocopias para que su hijo pueda leerlas sin problemas. Deberá poder hacerlo, y con buena pronunciación, pues ya sabe de memoria la mayor parte del texto. No se olvide de incluir las instrucciones, pues esto es lenguaje útil y hace que el libreto sea más real y divertido. Cuando terminen, pongan el libreto en el rincón del otro idioma. Es posible que su hijo y demás familiares quieran leerlo.

Antes de comenzar su actuación, grábela y escúchela. Es una actividad interesante y útil. Su hijo le indicará todos los errores que hizo él y usted. Permítale la oportunidad de hacerlo bien. Vuélva a grabar para ver si ha mejorado. Le sorprenderá su habilidad de autocorrección. Haga una copia adicional de la grabación y póngala en el rincón del otro idioma también.

Haga invitaciones y programas y boletos de entrada también. Esto los llevará naturalmente a hablar del tiempo y los días de la semana. Copiar es bueno para ir viendo cómo se escriben las palabras en el otro idioma. También ayuda a la buena ortografía (vea p. 139).

A estas alturas su hijo conoce bien los personajes de la obra, así que sugiérale que puede escribir su propio cuento acerca de ellos. Puede que le guste la idea, pero si no, no se preocupe. Quizás no esté listo todavía. Si muestra interés, explíquele cómo usar los globos de diálogo para el idioma hablado: ahorra tiempo y es muy fácil. Es posible que tenga que ayudarlo un poco, y que el producto será algo que hicieron en conjunto. No se preocupe. Habrá aprendido mucho de esto, como un aprendiz, y la próxima vez querrá hacer su propio cuento y hacerlo solo.

Es mejor dejar para luego las actividades de hacer las veces de ir de compras en la cultura extranjera hasta que su hijo haya tenido una experiencia de primera mano en ella, o al menos una buena experiencia de segunda mano por medio de un libro ilustrado, un audiocasete o un video. Estas representaciones requieren actuar como que se está en la otra cultura, y su hijo solo tendrá sus propios recursos, al no tener otros. Esto puede ser muy confuso para el niño, al ser la cultura y el idioma dos caras de la moneda, y las culturas son diferentes en el ámbito de la compraventa. Luego puede ser contraproducente sin alguna experiencia previa. Su hijo tendrá una noción errónea de cómo son las cosas en la otra cultura. Estas falsas nociones pueden ser difíciles de erradicar, pudiendo interferir en su proceso de aculturarse al nuevo idioma. También será un choque cultural ver que las cosas no eran como se las imaginaba en sus prácticas. Eso sí, si está utilizando animalitos, es diferente, ya que un patito es un patito en cualquier sitio, pero no así su cua, cua.

Diccionarios ilustrados

Hacer un diccionario ilustrado:

- presenta las habilidades de uso de un diccionario mostrando las relaciones entre las letras y los sonidos del otro idioma
- proporciona una fuente individual de referencia para la ortografía.

Abra una libreta al primer par de páginas que se besan, para que su hijo escriba cada letra del alfabeto extranjero, una en mayúscula y otra en minúscula en cada par de hojas. Puede que emplee dos ratos para el otro idioma en completar el alfabeto. Es muy conveniente cantar el alfabeto (vea pp. 128-129) para que su hijo se sepa el orden de las letras. Las páginas que sobren se pueden usar para tal información como letras con acento o grupos de palabras como los colores o los números.

Colecte láminas de revistas extranjeras para que el contenido cultural esté bien. Los anuncios mostrarán los envases de leche y bocadillos hechos con pan diferente. Tener la imagen visual correcta ayuda a los niños a desarrollar sus conceptos en el idioma extranjero. Dele a su hijo una lámina y dígale cómo se dice esto en el otro idioma. Díganlo juntos y entonces pídale que halle la página apropiada donde poner la lámina. Luego, pídale que escriba la palabra incluyendo el artículo indefinido *(a/an* en inglés). Incluya verbos en infinitivo (*to run* en inglés). Su hijo estará utilizando varios tiempos del verbo, y esto le dará la oportunidad de hablar de ellos y de cómo cambian—por ejemplo en inglés *go* se convierte en *went* en el tiempo pasado. Luego, puede hacer otras "hojas especiales de verbos" mostrando los diversos tiempos que ya conoce y sabe usar. Ponga de dos a tres cosas nada más cada vez. No trate de poner las láminas en orden alfabético en cada página pues esto es demasiado complicado en este momento.

Mientras copia las palabras, aproveche la ocasión para pronunciarlas haciendo hincapié en las sílabas iniciales y finales. Esto es bueno para la ortografía (vea pp. 139-140). Hacer un diccionario ilustrado viene bien con los juegos de espionaje (vea p. 130).

Proyectos

Los proyectos generalmente toman tiempo y a menudo incluyen diversos tipos de actividades que, aunque entrelazadas, pueden hacerse en diferentes sesiones en días diferentes. Los proyectos son a menudo complicados, requiriendo que se use el idioma de los niños en las instrucciones. Sin embargo, para hacer los proyectos de practica del otro idioma, hay que planificar de antemano cuál lenguaje se usará y cuándo.

Como en toda actividad, los proyectos serán más efectivos si son bien presentados, se manejan bien y se les da seguimiento. La planificación requiere tiempo, ya que a menudo implica recolectar o preparar materiales. Quizás le convenga hacer una lista, a la cual de vez en cuando agrega ideas que se le ocurran, lo que es una buena manera de reflexionar sobre el proyecto.

Cocina

Platos nacionales

Trate de confeccionar un plato nacional. Es una buena experiencia cultural que ocasiona que se tenga que usar el nuevo idioma.

Trate algo simple, como un pastel de manzana norteamericano, una ensalada de papa alemana o una sopa de cebolla francesa o una crepa. Mire bien la receta antes de empezar, escribiéndole a su hijo los pasos uno a uno. Si no entiende todo el lenguaje de cocinar, o no encuentra una receta, consulte su biblioteca o compre una revista extranjera.

Si no tiene tiempo para cocinar, compre un alimento extranjero ya hecho en el supermercado. Hable de los nombres en las etiquetas y busque instrucciones en el otro idioma en el envase. Haga un plan de cómo presentar el alimento dejando que su hijo lo sirva utilizando el otro idioma. Agregue algunas expresiones usted también; en inglés serían—*It's good. Thank you. Pass me* . . . Repita la comida en otra ocasión con los mismos platos, si gustaron, o con otros nuevos.

Ayude a su hijo a hacer una lista de alimentos extranjeros que le gustan o que no le gustan. Haga su propia lista también. Esto les servirá cuando vayan a un restaurante extranjero en el país o en exterior.

Bizcochitos contentos

Primero dibuje caritas de contento, triste y cansado, y entonces haga bizcochitos con caras sonrientes o tristes. Utilice sus recetas normales pero recorte círculos donde poner las caras con merengue. Póngales pelo corto o largo para representar niño o niña. Cuando se estén comiendo los bizcochitos, use lenguaje como el siguiente en inglés—*Can I have him? He's happy. Can I have her? She's sad.*

Cumpleaños

Trate de averiguar cómo se celebran los cumpleaños en el país extranjero. Apréndanse la canción "Happy Birthday" en inglés, si ese es el lenguaje, y ayude a su hijo a redactar una tarjeta de felicitación en el otro idioma. Escriba etiquetas para regalos en el otro idioma, o escriba en el otro idioma con merengue. Jueguen por lo menos un juego en el otro idioma. 20 preguntas es un buen juego para usar en el otro idioma. La familia puede hacer las preguntas mientras que usted ayuda a su hijo a contestarlas.

Recolectar cosas en el otro idioma

Hay más cosas en idiomas extranjeros a su alrededor de lo que se imagina. Cuando empiece a buscar, se sorprenderá de lo que puede recolectar. Recoja todo lo que crea será útil, pero especialícese en temas, tales como ropa, comida y juguetes.

Lugares y cosas que recolectar

- Etiquetas de tiendas internacionales
  - —en la ropa
  - —en alimentos
  - —en juguetes
  - —en enseres domésticos y muebles
- Periódicos y revistas—diferentes cosas con sus precios
- Guías telefónicas—instrucciones de discado internacional
- Información turística de su localidad.

Excursiones

Explique por qué van a salir. Prepare una lista o cuestionario de cosas interesantes que quiere encontrar. Dé sugerencias de qué buscar. Pueden buscar etiquetas en dos idiomas o una revista en el otro idioma. Si es posible, trate de que su hijo pueda oir a gente usando el otro idioma.

Viajes de medio día o de un día pueden incluir:

- el aeropuerto, ver los salones de salida y llegada;
- estaciones de trenes con conexión internacional;
- agencias de viajes donde obtener folletos y demás;
- exhibiciones de productos extranjeros, ferias, etc.;
- conciertos de música en el otro idioma;
- películas, si fueran adecuadas
- el país extranjero o un barrio extranjero.

Ejercicios físicos

Haga sus ejercicios habituales en el otro idioma. Los niños pueden disfrutar haciéndolos o dando las instrucciones. Por ejemplo, en inglés:

"Jump. One, two, three, four. Touch your toes. Down, down, down, now up."

Cuando su hijo se sepa bien su rutina, cámbiela por completo. Cuando se sepa las dos bien, combine las instrucciones sin hacer el ejercicio para ver cuán bien se aprendió las cosas.

Números

Jugar con números es divertido en el otro idioma si ya los conceptos han sido aprendidos antes en el idioma materno. Comience con sumas muy simples que sabe que su hijo conoce bien. De esta manera el trabajo está en el idioma solamente.

Sumas orales

Comience con sumas orales, en inglés:

"2 and 2 make how many?"
"10 minus 3 makes how many?"

Si no conoce el otro idioma, cómprese un libro de aritmética en el otro idioma, o pida ayuda a un amigo extranjero. De ahí siga a juegos como:

"Think of a number. Add 10. Subtract 6. What's left?"

Sumas escritas

Hacer una hoja de sumas simples le da a los niños mucha satisfacción, pero para que sea una experiencia que valga la pena, escriba algunos de los números en palabras no en símbolos.

Juegos de compras

Juegue a ir de compras al supermercado usando los anuncios del periódico. Entregue a su hijo 100 dólares y pregúntele cuánto le darían de cambio por un envase de leche. Cuando sepa más, puede darle una lista de compras entera.

El medio ambiente

En preparación al viaje al exterior, quizás desee aprender los nombres de:

- las flores
- las aves
- los árboles
- los insectos.

Cuando haya hablado de ellos, pueden hacer tarjetas para jugar al juego de memoria o la lotería. Puede cambiar los tableros de lotería normales a un dibujo grande por cartón. Por ejemplo, una playa en uno y una montaña en otro, cada uno con una lista de seis cosas en la esquina de cada dibujo. Las escenas pudieran referirse en inglés como "on the beach" o "in the mountains" o "in the town". Algunas de las tarjetas pequeñas tendrán un dibujo que puede aplicarse a cada tablero, por ejemplo, un pez; otros tendrán un dibujo que solo se puede aplicar a uno—por ejemplo, el castillo de arena. En vez de colocar las tarjetas en los tableros de lotería, las puede poner al lado.

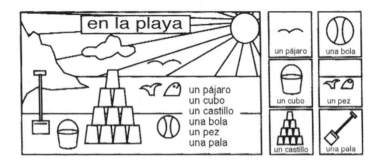

Preguntas que hacen los padres

Estoy pensando dar una fiesta de cumpleaños a mi hijo con el tema de Polonia. ¿Cree que sea buena idea?

Puede serlo, pero hable con sus amistades a ver si tienen la misma apreciación sobre esa cultura que su familia. De lo contrario, los preparativos y la expectativa pudiera tornarse en prejuicios, y es mejor que su niño no se confunda en esta etapa donde está formando sus primeras conclusiones acerca de la cultura. Seleccione el país o el idioma que usará como tema de su fiesta o proyecto con cuidado. Si hay poca información disponible, se caerá en estereotipos gastados que no son apropiados.

Resumen

Los proyectos pueden ser experiencias memorables. Como los cuentos, se pueden adaptar para que tomen el sabor de su familia y para que utilicen a tantos miembros de la familia como sea posible, en muchas maneras diferentes, interesantes y entretenidas. Las excursiones aumentan el total de las experiencias generales además de dar la oportunidad de practicar el nuevo idioma. Tienen un efecto duradero que permanece como gratos recuerdos inclusive cuando los niños llegan a ser adultos.

CAPÍTULO NUEVE

Selección de materiales para los niños y para los grandes

Tanto usted como su hijo necesitan materiales, pero por motivos diferentes. Usted necesita materiales para crear las experiencias prácticas por medio de las cuales él aprenderá a hablar en el otro idioma. Él necesita materiales porque sin ellos no podrá involucrarse en hacer algo. Los materiales son la base sobre la cual usted puede edificar el lenguaje específico que su hijo necesita.

Selección de materiales

Los materiales deberán ser seleccionados y evaluados con esmero. Deben:

- ayudar a clarificar el significado
- interesar al niño para captar y mantener su atención
- proporcionar suficiente desafío para que tenga que poner atención
- proporcionarle disfrute y motivación.

La efectividad de los materiales depende de cómo usted les dé vida. Esto depende de cómo usted los adapte y personalice según sus intereses y necesidades. Muchos materiales no están bien enfocados, causando que se malgaste tiempo y energía y se progrese menos. Adaptar y personalizar es lograr que los materiales vayan bien con el nivel de su hijo para que este pueda absorber el lenguaje que usted le está canalizando. Es por eso que los materiales hechos en casa o adaptados por usted son a menudo los más efectivos. No pretenda encontrar materiales comerciales que encajen exactamente con su hijo. Es raro que esto ocurra. Prepárese a recortar y pegar y a usar la fotocopiadora. Cuando empiece, lo hará cada vez mejor y mejor, y se sorprenderá de las cosas que logra hacer y de lo bien que satisfacen las necesidades de su hijo.

Presentación

Aunque el material que seleccione sea el ideal para su hijo, no será efectivo a menos que haya planificado su uso. A los materiales hay que:

- presentarlos
- apoyarlos
- darles seguimiento.

Va a tener que planear el lenguaje que necesitará para:

- conducir la actividad
- el uso específico del material.

Esto no toma mucho tiempo una vez que se ha acostumbrado. Mucho de la planificación para la próxima vez se hace al evaluar lo que acaban de hacer juntos y al pensar en el seguimiento apropiado.

Algunos padres cometen el error de o:

- presentar demasiado material en una sesión, de manera que no alcanza el tiempo para explotarlo completamente;

- sólo usar materiales una vez, sin dejar que el niño le saque todo su valor. Hay materiales que se pueden usar dos o tres veces si los presenta bien. A los niños les gusta intentar las cosas de nuevo si usted logra que sea divertido para ellos.

No existe una regla fija que diga cuánto y hasta cuándo. Es una habilidad que desarrollará con el tiempo. Verá que a medida que tiene más experiencia necesitará menos materiales de los que pensaba. Lo que va a necesitar son muchas cositas para los ratitos o para el rincón del otro idioma, para que siga el entusiasmo.

Si un niño dice —Esto es demasiado difícil. No lo entiendo.— y se desconecta con el material, es muy difícil lograr que regrese al mismo. Es mejor no intentarlo. Simplemente analice lo que pasó. ¿Era el material o la manera en que lo presenté? Quizás no lo personalizó suficiente. A pesar de que su hijo no aprendió, asegúrese usted de aprender de este episodio, y casi seguro que no se repetirá. Explíquele a su hijo que lo que estaban haciendo era muy difícil y llévelo a otro material conocido o nuevo que usted sepa que él puede hacer y que le va a gustar. De esta manera, poco a poco, logrará que se sienta confiado.

Tipos de materiales para niños

Comerciales

- Libros: cuentos, rimas, cancioneros, de información, diccionarios, bilingües
- Audiocasetes, videos, CD-ROMs, CDs
- Juegos

Hechos en casa (por usted o por su hijo)

- Libros
- Marionetas
- Juegos

Cosas de verdad

- Objetos

Visuales

- Fotos
- Láminas

Recursos humanos

- Otra gente y otros niños
- Amigos por correspondencia
- Au pairs

Selección de libros

Los libros se pueden agrupar en las siguientes categorías:

- **libros cuyo texto es traducido**, pero siguen usando las ilustraciones originales;
- **libros escritos en el idioma extranjero con ilustraciones** de esa cultura;
- **libros bilingües, que contienen dos idiomas**, siendo sus ilustraciones aceptables en ambas culturas.

Muchos libros escritos en un idioma extranjero se pueden comprar fuera de su país de origen. Sin embargo, siguen siendo mucho más accesibles en su país de origen. Si usted o alguien que conoce viaja al exterior, es posible que pueda visitar una librería, pudiendo adquirir libros y casetes para varias sesiones, si los presenta bien.

Criterios de selección

Además de interesar a su hijo y brindarle un reto, verifique lo siguiente:

Láminas

- ¿Son demasiado infantiles?
- ¿Las puede descifrar para sacarles significado?

Es preciso que los niños puedan descifrar no solo el texto, sino también las ilustraciones. Para atraerlos y para mantener su interés, ambas tienen que comunicar un mensaje significativo que se pueda entender. Si no entienden uno de los dos, perderán el interés y se perderá una oportunidad.

A los niños les cuesta más trabajo relacionarse con las ilustraciones de lo que piensan los adultos. Esto es especialmente cierto en el caso de haber sido expuestos sólo a fotografías y tiras cómicas, ambas de las cuales son más fáciles de entender que las ilustraciones. Los niños necesitan ayuda casi por igual para descifrar las ilustraciones que el texto. Usted puede ayudar presentando las ilustraciones cuidadosamente semana tras semana, y exhibiéndolas en el rincón del otro idioma. Una fuente regular se puede hallar en los periódicos, revistas y folletos de viajes. No se olvide de hablar de las láminas en el libro. Quizás tenga que hacer esto en el idioma del niño. Si la ilustración fue hecha por un artista extranjero, puede haber contenido cultural que también necesite explicación antes de que se pueda entender. Usted puede desarrollar las habilidades de observación tanto como las habilidades de escuchar de su hijo.

Lenguaje

- El texto, ¿es de tipo hablado o de tipo escrito, o ambos?

Si el lenguaje es muy difícil, retrase la presentación del libro a menos de que se trate de un libro de consulta, en cuyo caso sólo se busca un dato específico. Los libros traducidos del español pueden ser buenos si su hijo ya los conoce, pudiéndose concentrar en el lenguaje y no en el contenido.

Tamaño de la letra

- ¿Es la letra demasiado grande o chica?

A los niños que recién comienzan a aprender otro idioma se les dificulta descifrar cuando la letra es demasiado pequeña. Los textos también son más difíciles de copiar.

Selección de audiocasetes, videos, CD-ROMs y CDs

La selección disponible es cada vez mayor y el acceso cada vez más fácil. La oferta se puede clasificar así:

- publicado para niños que están aprendiendo un idioma extranjero
- publicado para niños en su idioma materno
- copias caseras para niños que están aprendiendo otro idioma
- copias duplicadas en casa de productos comerciales.

Criterios de selección

Además de ser del interés de su hijo, y de retarlo, debe comprobar lo siguiente:

Contenido de lenguaje

- ¿Hay suficiente lenguaje del tipo que su hijo pueda usar?
- ¿Hay demasiado lenguaje?
- ¿Es bilingüe?

Efectos de sonido

- ¿Hay bastantes? Ayudan la comprensión.

Voces

- ¿Son claras?
- ¿Son naturales y fáciles de imitar?

Películas

- ¿Es completamente animado o sólo parcialmente? (Las expectativas de los niños son altas al ser influenciados por lo que ven en televisión.)

Material de seguimiento

- ¿Qué hay disponible? (libros, rompecabezas, juegos, etc.)

Aunque se dice que las grabaciones son interactivas, la mayoría no hace que el niño hable en diálogos. Tiene usted que ser la que torne el lenguaje pasivo que su hijo oye en la grabación a lenguaje activo que pueda usar en un diálogo. Esto lo puede lograr presentando diálogos en actividades de seguimiento enlazadas. Si no encuentra material que comprar para dar seguimiento, haga el suyo propio recortando publicidad, fotos en revistas o en publicaciones infantiles, etc. Toma tiempo recolectar estos materiales, pero si planifica con anticipación, tendrá algo que le sirva.

Si su hijo ya ha leído un libro o ya ha visto un programa de televisión en su propio idioma, deje que lo vea u oiga ahora en el otro idioma. Ayúdelo al principio diciéndole algunas cositas de las que debe percatarse. Es muy posible que no entienda todo la primera vez, así que anímelo poniéndolo otra vez (vea p. 146). Si un programa de audio tiene muchos efectos de sonido, él sabrá exactamente en qué parte del cuento está, a pesar de no entenderlo todo. Toma tiempo llegar a la comprensión cabal, y en muchos casos es mejor seguir adelante con otro audiocasete después de ponerlo varias veces. Si lo vuelve a tocar después de un tiempo, verá que su hijo entiende mucho más que antes. Posiblemente se sorprenderá. ¡No se olvide de felicitarlo!

Materiales fabricados

Los siguientes son muy útiles:

- un teléfono viejo—¡los diálogos de dejar recados salen mejor con un aparato de teléfono!
- un alfabeto de letras plásticas
- números plásticos—son buenos porque se ahorra tiempo en una actividad cuando no hay tiempo para escribir
- un juguete—para usarse de "amiguito" (vea p. 60); también puede comprar una muñeca francesa que diga Papa, Mama, Je m'appelle . . . o una marioneta alemana, etc.

Hechos en casa

Estos pueden ser hechos por:

- los padres
- los niños
- juntos.

Si su hijo hace algo él mismo en vez de comprarlo, le será de mayor utilidad, pues lo involucra a un nivel mucho más personal. En los diversos niveles de hacer materiales tiene muchas oportunidades de usar el lenguaje. Sin embargo, no permita que la acción en sí de hacer las cosas interfiera con aprender lenguaje nuevo. Será mejor tener las cosas semihechas con antelación para que puedan tener un eficiente rato con el otro idioma. Si no se preparó de antemano, coopere con él ahora ayudándolo a recortar, por ejemplo, para llegar al grano de la lección lo antes posible.

Los materiales hechos en casa pueden incluir:

- libros
- juegos
- marionetas
- avisos
- listas

- programas
- comidas.

Trate de que su escritura tenga buena caligrafía. ¿Tienen sus letras el tamaño y forma correctas? ¿Deja los espacios correctos entre letras? Si no, practique un poco antes de escribirle algo a él. Es importante tener bien las formas y los tamaños de las letras ya que al leer un idioma extranjero por primera vez uno busca detalles. Cualquier divergencia de la forma conocida de escribir puede confundirlo y hacer que el reconocimiento de las letras sea más difícil.

Verifique que todo material que haga usted sea de un tamaño que le sirva a su hijo, y que todo aviso que ponga esté a la altura de su vista.

Cosas reales

Toma tiempo recolectar cosas reales. Los niños de siete, ocho y nueve años disfrutan de hacer colecciones, así que dele las cosas que usted y los demás familiares encuentren.

No es necesario comprar cosas. Hay muchas cosas a su alrededor en otros idiomas o de otras culturas que son gratis. Posiblemente haya mucho más material del que se imagina. Es cuestión de buscarlo. ¡Hay que desarrollar el olfato del coleccionista! He aquí algunas sugerencias:

- hay catálogos bilingües de juguetes, alimentos y muebles
- los folletos publicitarios de viajes tienen fotos de comidas, pueblos, etc.
- mapas e itinerarios
- revistas extranjeras
- publicidad de alimentos con fotos, banderas, etc.
- las etiquetas de productos alimenticios tienen información multilingüe
- las etiquetas de ropa pueden tener información en otro idioma.

Pídale a amistades que cuando viajen al extranjero que traigan cositas útiles que son fáciles de traer y no cuestan nada o cuestan poco:

- boletos de avión, tren, autobús
- mapas
- tarjetas postales
- recibos de restaurantes
- menús de restaurantes

Almacenamiento de los materiales

Recolecte los materiales cuando pueda y guárdelos hasta que los necesite. Esto implica tener un sitio donde ponerlos. Las fotos y láminas tienen que ponerse lisas. Si las puede clasificar esto le ahorrará tiempo más tarde. No le diga a su hijo dónde tiene guardadas las cosas, de lo contrario las habrá visto y no serán nuevas para él durante la lección. Es mejor dejar algo de sorpresa.

Exhibición

Es importante exhibir las cosas. Motiva a su hijo e involucra a la familia. Lo que usted decida exhibir es importante, ya que va a presentar la otra cultura e influenciará el gusto de su hijo en el futuro. Su selección de fotos creará una imagen del país o cultura bajo estudio. Cómo usted las presenta indicará lo que piensa. Un borde simple alrededor de una foto la realza muy bien. Si es algo que su hijo ha hecho, encuádrelo. Lo hará sentir valioso.

Es importante rotar las cosas en exhibición. Probablemente sea bueno tener un tablero en el rincón del otro idioma además de una mesita. Trate de lograr que el rincón se sienta como parte del país o cultura bajo estudio. Su hijo puede hacer banderas o puede buscar decoraciones usadas en las tiendas.

Materiales para los padres

Es posible que necesite materiales que la ayuden a planear actividades y a desarrollar su propia habilidad en el otro idioma.

Planificación de las actividades

Puede que lo siguiente le sea de utilidad:

- el libro de texto del idioma extranjero de su hijo, como consulta
- rimas, cancioneros y libros de juegos
- revistas de maestros que incluyen sugerencias para los maestros
- libros de información que incluyan información de utilidad

Desarrollo de su propia habilidad en el otro idioma y en sus aspectos culturales

Busque un curso en televisión o un curso de idiomas con audiocasetes que le ayude con el idioma hablado en situaciones que son útiles para usted y para su hijo.

Los recursos humanos pueden ser muy importantes. Trate de hallar una persona de ese país que le pueda ayudar con el idioma hablado y que le pueda hacer grabaciones.

Preguntas que hacen los padres

"No tengo tiempo para recolectar cosas reales porque trabajo todo el día."

He aquí algunas sugerencias que le pueden ayudar:

- Visite un kiosko de periódicos y compre una revista extranjera y empiece a recortar láminas y a pegarlas en un álbum. Mande a pedir folletos de viajes.

- Puede hacer juegos con pegamento, tijeras y lápices de colores. Use el cartón de cajas de cereales, envases, etc.
- Reclute la asistencia de otros familiares. Dígales lo que anda buscando.
- Pídale a su hijo que busque libros acerca de ese país cuando vaya a la biblioteca.
- Llame a una librería y pregunte si tienen libros de rimas y de cuentos en otros idiomas. Puede que tengan un catálogo que ofrecerle.

Resumen

Su selección de materiales y la variedad de los mismos determinará su desarrollo integral. No solo aprenderá a aprender de otras cosas además de los textos, aprenderá acerca de otra cultura. La selección y calidad de los materiales que le muestre desarrollará su sentido artístico. También le ayudará a formar su impresión del idioma extranjero, su gente y su lenguaje y cultura.

CAPÍTULO DIEZ

Pensemos en ocasiones para practicar la nueva lengua fuera de casa y en el extranjero

Si comenzaron el estudio del otro idioma en casa, llegará el momento en que sea hora de seleccionar cómo ampliarlo más allá de sus conocimientos. Quizás también le suceda esto con las clases en la escuela o en un club de idiomas. Algún tipo de experiencia de inmersión total, algo más de las experiencias de inmersión guiadas que usted ha organizado llevará a su hijo a un nivel superior. También puede volver a motivar el interés que quizás haya estado decayendo un poco.

En papel, suena muy bien eso de una experiencia de inmersión en el otro idioma. ¿Cuántos padres se imaginan el gran progreso que harán sus hijos inclusive antes de salir? Pero tenga cuidado—las cosas pueden salir mal. La experiencia puede de hecho ser desastrosa, y si ese fuese el caso, tomará mucho tiempo y paciencia recobrar el ritmo deseado.

Antes de que decida dejar ir a su hijo en un viaje al exterior, verifique bien todos los detalles y pese las ventajas y las desventajas. Si tiene dudas de que esto sea bueno para su hijo, o para los valores de la familia, tenga la valentía de buscar y planear algo diferente. Será lo correcto a largo plazo.

Entre las cosas que debemos considerar tenenos:

- ¿Qué sacará mi hijo de esto? ¿Cuánto usará el otro idioma? ¿Podrá hacer amigos y sentirse parte del grupo?
- ¿Será compatible con las actitudes y valores de nuestra familia?
- ¿Qué tipos de participación intercultural habrá?

Tipos de experiencias con otros idiomas

- intercambios entre dos familias
- vacaciones familiares
- viajes escolares de turismo o de intercambio

No importa el tipo de viaje, inclusive los organizados por los colegios, vale la pena que usted haga los preparativos. Sin buena preparación y seguimiento no se pueden lograr las metas de estudio del otro idioma en el extranjero, ni siquiera parcialmente. Si su hijo está bien preparado empezará el viaje con confianza, y estará mejor preparado para confrontar las diferencias culturales y las sorpresas.

Presentación

La forma en que usted presente la idea de ir al extranjero es muy importante. Algunos niños estarán encantados por la novedad; otros no querrán ir. Se sienten bien en casa y no quieren dejar atrás sus programas favoritos de televisión.

Es importante que su hijo entienda:

- las razones por las cuales ir
- lo que usted piensa que va a lograr
- sus responsabilidades—dinero en el extranjero, tarjeta telefónica, etc.
- sus tareas específicas—por ejemplo, cosas que comprar para la familia, sellos para el hermanito, una muñeca para la hermanita, etc.
- cosas que averiguar para la familia—nuevas recetas, por ejemplo.

Si usted individualiza la experiencia cuando la presenta, su hijo se involucrará de inmediato. Se sentirá responsable de hacer algo por él y por la familia. Esto lo hará sentirse muy maduro, pues considerará que es un papel adulto el traer información y cosas para la familia.

Planificación

Muchas oportunidades de estudio en el extranjero han sido desperdiciadas al no haber habido suficiente planificación con antelación. La parte previa al viaje es tan importante como el viaje en sí.

La planificación radica en hallar información de antemano y en recolectar tantos materiales como pueda acerca del viaje, el lugar, la gente, los alimentos y demás. Si su hijo va a quedarse con una familia, es esencial conocer esa familia. Recuerde que si hay niños chicos en la familia, su hijo hablará mucho más en el otro idioma. Los niños pequeños hacen muchas preguntas, y esperan que se les responda. Con la información que recoja, prepare a su hijo, paso a paso, sobre lo que debe esperar y hacer. Disminuirá así su choque cultural y tendrá una base conocida desde la cual explorar su nuevo entorno. No lo haga todo por sí sola. Hay muchas cosas que pueden hacer juntos, tal como comprar boletos y averiguar itinerarios, y cambiar la moneda para convertir los costos.

La planificación también debe incluir algo sobre la vida diaria, tal como qué esperar cada día y a qué hora. Las horas de comer pueden ser muy diferentes, causándoles dificultades a los niños. Les da hambre. La hora de levantarse y la rutina del baño pueden ser diferentes también. Trate de averiguar todo lo que pueda. Si no llega a saber algo, dígale a su hijo que haga lo que hacen los demás niños de la casa si parece razonable. Dígale que si está completamente perdido, que simplemente se siente a leer un libro hasta que alguien le diga qué viene ahora en el programa.

También necesitará el lenguaje de supervivencia necesario para la vida diaria. ¿Alguna vez le ha preguntado en el otro idioma—¿Puedo ir al baño, por favor?—o ha tenido que decir—Estoy enfermo. ¿Sabe cómo le preguntarán si quiere más postre o lo que dirá en respuesta? Dígale cómo se dice—Estaba muy bueno todo.

Dele algunas frases de cortesía sobre cómo hablarle a la gente en el otro idioma. Esto puede incluir darle la mano a la gente al verlas por primera vez en la mañana o cuando entra un visitante por la puerta de la casa. La rutina de decir buenas noches puede ser diferente también. Prepárelo para saber si se besa a la gente una o dos veces o no. En Japón tendrá que quitarse los zapatos y ponerse unas zapatillas antes de entrar a la casa. Y a la hora de ir al baño tendrá que cambiar estas zapatillas por otras de baño. Antes de empezar a usar los palillos de comer, se espera que diga—Itadakimasu—Gracias por lo que voy a comer. Si está preparado para estos ritos más formales, le será más fácil llevarse con los demás y copiar lo que hacen los otros niños.

Si van a ir de vacaciones con la familia, es bueno que su hijo juegue con los demás niños en la playa o en la piscina. No espere que él organice todo esto. Casi siempre no ocurre así porque los niños son tímidos en hablar con niños que no conocen, y aún más si hablan otro idioma. Vaya con él y hable con los niños. Explique

de dónde vienen y el nombre de su hijo. Lleve una pelota o algún
juego y pregúnteles si quieren jugar con ustedes, o si le parece
bien, pregúnteles si su hijo puede jugar con ellos. Probablemente
no saldrá muy bien la primera vez, pero trate de verlos de nuevo
más tarde. Su hijo verá que la próxima vez las cosas saldrán mejor
y que puede arreglárselas por su cuenta y que los demás niños
comienzan a usar su nombre. Oiga el lenguaje, y más tarde, repáse-
lo con su hijo para que pueda entender la mayoría de las cosas que
están diciendo.

Mantener el interés en una visita de intercambio cultural

Si su hijo es parte de un programa de intercambio de estudiantes,
es posible que no quiera que usted haga contacto con él. Esto es
muy usual cuando las cosas van bien. En su nuevo mundo estará
muy ocupado con nuevas experiencias, y mientras está en la eufo-
ria de lo nuevo es posible que le dé vergüenza que usted lo esté lla-
mando. Usted deberá determinar si su hijo necesita que usted lo
llame a él primero. Si él la llama no lo regañe por no haber llama-
do antes. Es posible que usted lo haya echado de menos más a él
que él a usted, ya que su nueva vida ha estado llena de cosas
nuevas y diferentes. Cuando él la llame, es vital ser positiva y opti-
mista. No se quede hablando de las diferencias y dificultades, que
él le podrá contar con lujo de detalles. Trate de llevar el tema hacia
hablar de las cosas que usted le pidió que hiciera para usted y para
la familia.

Mantener el interés en un viaje de vacaciones

Inclusive si están en un viaje de vacaciones tendrá que mantener el
interés de su hijo. Repase lo que han hecho juntos y ponga atención a sus impresiones y sentimientos. Esto es algo importante

para él y puede que tenga un punto de vista interesante. Felicítelo por el idioma que ha usado hasta ahora y ayúdelo con nuevas frases, sugiriendo cuándo las puede usar. Pregúntele qué palabras ha aprendido. Pueden haber algunas palabras y expresiones que usted desconozca—o puede hacerse la que no conoce—para que se sienta bien. Comente ideas para nuevas excursiones, y deje que la ayude a hacer los planes, comprar los boletos y hasta a interpretar las instrucciones y explicaciones del viaje. Aunque es más fácil y rápido hacer las cosas por su cuenta, no lo haga—le está quitando a su hijo una oportunidad de aprender.

Después de seis días en París, a un niño americano de nueve años de edad le preguntó una señora americana que tenía al lado—¿Hablas algo de francés?

La mamá respondió rápidamente—No, no habla. Nosotros no hablamos francés. La señora continuó hablando con el niño— ¿Conoces algunas palabras en francés?

—No, no sabe hablar francés—respondió la mamá antes de que el niño tuviera ocasión de reflexionar y contestar.

—¿Sabes decir sí y no en francés?—persistió la señora.
—Sí, si sabe—respondió la madre—pero está muy cansado. Llevamos seis días aquí.
Le dieron un refresco en ese momento al niño, y éste no dijo nada, ni siquiera merci (gracias en francés).

Cada día, planifique más lenguaje y ayude a su hijo a usarlo.

Vuelva a visitar lugares y tiendas, ya que a los niños le gusta regresar a cosas que conocen. Pero tenga una meta específica para una segunda visita—por ejemplo, comprar algo, recolectar algunos detalles históricos, o tomar una fotos adicionales.

Jueguen juegos como el de espiar, o el de ver quién es el primero en ver diez automóviles que empiecen con el número 6 en la placa. ¡Desde luego que tendrán que decir los números en el otro idioma!

Planifique una excursión especial

- a un pueblo cercano para gastar algún dinerito extra
- un viaje en barco
- jugar un nuevo deporte.

Llame a los abuelos.

Compre tarjetas postales interesantes y envíenselas a amistades y parientes.

Trate de hallar desafíos nuevos. Planifique un día de excursión. Si lo hace que suene interesante y divertido, se divertirán y aprenderán algo nuevo. Jueguen a los espías y lleve un audiocasete para cantar en el automóvil.

Por ejemplo, pueden cruzar una frontera—por ejempo de Calais, Francia a Bruges, Bélgica. Esto puede requerir usar mucho lenguaje y ver contrastes culturales.

- Puede usar mapas para ver el lugar exacto de la frontera—un riachuelo, un río, una zanja.
- Puede hacer una lista de símbolos visuales que indican el cambio de un país a otro—señales fronterizas, señales en las carreteras, lenguaje, dinero, tiendas, estaciones de servicio, placas de los automóviles, uniformes y estilos de vestimenta.

En su entusiasmo, no se olvide de que usted debe estar divirtiéndose. Estructure las experiencias para que parezcan que pasaron naturalmente. Pase más tiempo hablando con la gente de la zona de lo que haría en casa. Pregunte cómo llegar a las tiendas, pregunte al expendedor de billetes a qué hora abre y si estará abierto mañana. Aunque pueda leer la lista de helados, pregunte por los sabores que tienen. De esta manera su hijo tendrá más ocasión de oir el lenguaje.

Si las cosas salen mal, trate de no quejarse demasiado. Ya su hijo estará enojado y si gastan mucho tiempo en el tema esto afectará su actitud. Los niños son impresionables, y puede que no se den cuenta de que su enojo es sólo temporal.

Prepare a su hijo a recolectar materiales en sobres grandes fáciles de clasificar

> boletos
>
> recibos del supermercado o de las tiendas
>
> menús de restaurantes si es posible
>
> tarjetas postales y recetas

Asegúrese de que su hijo tiene el lenguaje de supervivencia necesario:

> en el viaje   en la vida diaria
>
> de compras   en juegos y deportes

Seguimiento

La emoción del viaje dura poco de regreso en casa. Trate de mantener algo del viaje para darle seguimiento. Haga un álbum con las fotos, tarjetas, mapas y demás cosas que trajeron. Escriba algunas tarjetas de agradecimiento, si fuera apropiado. Pueden ser una manera de afianzar una amistad. Aunque las actividades de seguimiento dan buenas oportunidades de practicar el nuevo lenguaje, no se le pase la mano, o puede arruinar el efecto del viaje.

Cosas que se pueden hacer

- un álbum para ponerlo en el rincón del otro idioma
- hablar de adónde irán la próxima vez y qué harán
- hacer etiquetas para los recuerdos en el otro idioma
- escribir cartas de agradecimiento
- un plato favorito
- leer cuentos nuevos o escuchar audiocasetes
- ver videos nuevos

PENSEMOS EN OCASIONES PARA PRACTICAR LA NUEVA LENGUA FUERA DE CASA Y EN EL EXTRANJERO

Si el viaje salió bien, su hijo estará listo para tener otras experiencias de lenguaje fuera de casa. Comience a ver lo que hay, usando los criterios de selección que usó para la visita de su hijo al extranjero (vea p. 168).

Lista para las vacaciones familiares en un hotel o otro sitio alquilado (marque las casillas)

Preparación

Viaje
- ☐ tiempo, kilómetros que se van a recorrer
- ☐ ruta—pueblos que se van a pasar, para marcarlos en una lista

Mapa
- ☐ marque el viaje
- ☐ vean si los nombres de los sitios se escriben de otra forma:
- ☐ Viena/Wien, Filadelfia/Philadelphia.
- ☐ observen las fronteras

Dinero
- ☐ miren las listas de divisas en el banco (nombre y bandera del país)
- ☐ cambien algún dinero—miren nombres, valor, equivalencias

Teléfono
- ☐ números de códigos y números locales, códigos internacionales, números de emergencia

Alimento
- ☐ platos típicos, hacer un plato, ir a un restaurante
- ☐ comparar los menús de cadenas internacionales

Tiempo	☐ ver latitud y comparar (por ejemplo entre Cannes y Praga)
	☐ ver temperaturas—compararlas entre ciudades
	☐ ver el mapa del tiempo mundial en el periódico

En el sitio

Compras	☐ juegos y rompecabezas
	☐ libros y revistas
	☐ videos (alquile videos para verlos temprano en la mañana
	☐ recuerdos

Turismo	☐ sitios históricos
	☐ mercados
	☐ parques naturales

Alimento	☐ meriendas
	☐ helados
	☐ cafés y restaurantes

| **Deportes** | ☐ deportes acuáticos, esquiar, etc. |

Amigos por correspondencia

Es posible conectar con corresponsales individuales o en grupo. Si conocieron a alguien en las vacaciones es una manera, o por medio de un club es otra.

Es divertido hacer intercambios de correspondencia en un club. Hay clubes en iglesias y en otras organizaciones.

Si ya tiene un amigo por correspondencia, es difícil mantener el interés. Las cartas deben incluir muchas fotos para que la escritura no se haga algo oneroso. Escriban en tono hablado no escrito, ya que esto es mucho más fácil para los niños. Hay niños que escriben como si fuera una tira cómica con globos de diálogo. Es bueno tener un plan para el intercambio de información. Sugiera uno o dos temas por vez. Si tienen algunas noticias especiales, no sigan el plan esa vez, y regresen al plan con la próxima carta.

Temas para las cartas

Uno mismo

- las cosas que sabe y no sabe hacer (montar bicicleta, patinar, tocar el violín)
- cosas y gente que le gustan o no
- pedirle al otro que le cuente sobre él

Su familia y animales en casa

- gente
- trabajos
- cumpleaños

Colegio

- clases que le gustan
- deportes que le gustan
- amigos
- maestros
- excursiones

Ciudad

- hacer mapas
- mostrar fotos de lugares importantes

Simulacros de viajes al extranjero

Aunque su hijo necesite la experiencia de ir al exterior, quizás usted no lo pueda enviar, o él no esté listo. Si este fuese el caso, trate de encontrar una experiencia de inmersión total conducida por un nativo de ese idioma. Si no hay ninguna, trate de comenzar algo con la ayuda de un padre o nativo de ese idioma.

Los simulacros pueden ser mejor para algunos niños ya que no tienen que pasar el trauma de estar fuera de casa. También pueden servir de puente para ir al extranjero en el futuro.

Ballet, natación y deportes en el otro idioma

El lenguaje es más fácil cuando está acompañado del movimiento físico. Trate de hallar un maestro de algo que sea del extranjero, y convénzalo de que dé sus clases en su idioma nativo. Si su hijo va a aprender a esquiar, que lo haga en un club en el otro idioma, para que sus viajes, lecciones y amistades sean en ese idioma también.

Librería de segunda mano o minibiblioteca

Los materiales en el otro idioma pueden ser difíciles de conseguir y caros. La gente que ha terminado de usar un material querrán intercambiarlos por otros. Con la ayuda de un nativo del idioma, organicen una tiendecita o lugar donde se puedan intercambiar cosas dos veces al mes. Conviertan la ocasión en una oportunidad de inmersión total. No deje que los adultos organicen los inter-cambios entre ellos nada más. Pídales que colaboren con sus hijos. De esta manera, los adultos y los niños tendrán la oportunidad de practicar.

Los intercambios pueden incluir:

- libros ilustrados, de información, de rimas o cancioneros
- audiocasetes
- revistas
- libros de tiras cómicas

Esto se puede convertir en una minibiblioteca, si hay suficientes materiales. La persona nativa, a medida que llega a conocer a los niños, puede empezar a hablarles de los libros. Este tipo de presentación los ayuda a seleccionar y los anima a ir más allá de sus intereses usuales. Usted podrá animar a esa persona a contar un cuento—que puede grabar—o a jugar algunos juegos. Pueden llegar hasta a celebrar los cumpleaños.

Resumen

Cuando los viajes al exterior tienen éxito, amplían la mente y motivan. Después de una estadía en el extranjero, los niños tienen otro punto de vista y actitud. Sin embargo, es importante cuidar que el viaje no sirva para confirmar prejuicios adquiridos de otros niños o de adultos. Hay experiencias simuladas de inmersión total que pueden ser substitutas al viaje al exterior, y hasta pueden ser mejores para algunos niños que se encuentran en ciertas etapas de desarrollo o en circunstancias especiales.

CAPÍTULO ONCE

Concientización de la cultura y choque cultural

¿Qué es la cultura? ¿Por qué es importante?

Cuando decimos que entendemos lo que nos dice una persona extranjera en su idioma, de hecho ¿cuánto entendemos? Es posible que usted crea que entiende cosas como pan o baño, pero la imagen que tiene esa persona en su mente ¿será igual a la suya?

> —*Ella entiende las palabras, pero no la implicación de las mismas*—decía la mamá al hablar de su hija, una niña de China de quince años de edad que estaba aprendiendo inglés en una escuela en Estados Unidos.

La cultura ha sido construida por los pueblos y tiene que ser aprendida. Uno no puede comunicarse con eficacia, ni siquiera acerca de cosas de todos los días sin hacer un intento por entender la cultura de las palabras. La interacción depende de que el significado atribuido de la palabra coincida con el significado que se prentendía comunicar. Si dos personas no coinciden, el significado no ocurre. ¿Cuánta gente piensa que *jai* en japonés es sí, para luego darse cuenta que la persona solo le indicaba que había entendido, no que estaba de acuerdo con lo dicho?

El lenguaje y la cultura están interrelacionados. El jovencito aprende la cultura y el idioma simultáneamente haciendo algo. No hay materiales libres de cultura. Si ha sido expuesto a experiencias culturales, absorbe la cultura sin darse cuenta. Al hablar con la gente, llega a conocer su punto de vista hacia la vida, que esta expresa con el idioma que usa. Cuando se le expone a dos culturas—por ejemplo cuando vive en el extranjero—él reconoce lo que pertenece a la otra cultura y pronto aprende a adaptarse a esa cultura.

Un niñito es generalmente un observador sagaz y pronto percibe los gestos y movimientos corporales del otro idioma, si tiene contacto con hablantes nativos del otro idioma.

A una niñita norteamericana, de regreso en EE.UU. luego de haber ido al colegio en Japón, le costaba trabajo hablarle a la maestra o mirarla a los ojos cuando se dirigía a ella. No estaba acostrumbrada a la informalidad norteamericana. En Japón, cuando se dirigía a la maestra, bajaba la cabeza y usaba lenguaje de cortesía, añadiendo la palabra "maestra" a cuanto decía.

Luego de un tiempo en inmersión total, un niño es capaz de comparar las dos culturas. Su grado de observación es a menudo sorprendente y hasta cómico también. Pero para el niñito esto es algo serio. Casi nunca antes ha tenido que juzgar otra cultura. No piensa en que si tienen o no razón ni si son buenas o malas a menos que un adulto le meta estas cosas en la cabeza. Él tiene curiosidad e interés. Quizás lo máximo que pueden hacer los padres por sus hijos es mantenerlos libres de prejuicios e interesados en las demás culturas.

Quizás usted pueda pensar que conocer más de otras culturas no vale la pena, ya que para la época en que su hijo haya crecido, la cultura internacional o global será la más importante. Las empresas transnacionales están invadiendo los mercados mundiales con sus productos, ¿pero hasta qué grado existe la uniformidad en lo que venden? Las caras de los niños de todo el mundo se alegran cuando dan la primera mordida a su hamburguesa preferida en el extranjero. La imagen del restaurante de la cadena les es muy familiar, esté donde esté, pero el sabor no es igual. Los gustos locales han dictado un cambio para que la hamburguesa global se adapte a la cultura, a pesar de ser del mismo tamaño, forma y nombre a veces.

A primera vista un niño de ocho o nueve años luce igual jugando fútbol en París que en Londres. Usan uniformes y equipos similares. Sin embargo, al mirar más de cerca vemos diferencias en sus peinados y en los gestos que hacen. ¿Y cómo juegan? La relación entre los jugadores no parece ser igual. ¿Y qué me dicen del concepto inglés del *fair play*, ser corteses y seguir las reglas? En francés dicen *le fair play*, pero ¿puede transferirse este concepto sin aculturarlo en nada?

A una señora asiática le encantaban las tartas de chocolate hechas en casa, así que cuando le preguntaron si quería otro trozo contestó que sí con placer. Habiéndose comido el segundo preguntó si podía tener un tercero. Imagínense la sorpresa de los ingleses que tomaban el té. Finalmente preguntó si podía tomar el último pedazo restante. Habiéndose comido el cuarto les dijo—Ven, me lo comí todo para que vean lo rico que estaba. La reacción de los adultos y niños ingleses fue muy diferente. Ellos habían sido criados con la norma de que dos porciones es el límite. Más de eso es gula—uno de los siete pecados bíblicos. En su mente, este huésped asiático era una glotona, y eso es malo. Por ende, el significado atribuido no coincidía con el significado que se pretendía comunicar la señora de Asia.

La cultura tiene que ver con cómo los grupos de personas entienden e interpretan el mundo y cómo resuelven los problemas. Es algo que tiene muchas capas, pero sólo las superficiales son explícitas. Esto consiste de cosas que se pueden ver, tales como monumentos históricos, edificios, iglesias, basílicas, arte, comidas y sistemas de transporte. La mayor parte de nosotros tenemos una imagen visual de estos tipos de cosas almacenadas en nuestras mentes como representativas de la cultura de ese país. De hecho estas imágenes son símbolos de una cultura invisible más profunda.

Las capas intermedias consisten de normas y valores. Las normas representan los principios de lo que el grupo considera que sea lo bueno y lo malo, que son controlados mediante leyes y convenciones sociales. Los valores son los conceptos de lo bueno y lo malo. Revelan las aspiraciones y esperanzas del grupo. En muchas culturas las capas intermedias están influenciadas y hasta atadas a los sistemas de educación y religión. Esto puede ocurrir inclusive cuando los ritos religiosos hayan sido aparentemente abandonados, ya que la religión sigue siendo parte de la historia.

El núcleo interno es implícito. Es cómo el grupo sobrevive los elementos de la naturaleza y sus efectos en el medio ambiente. Tiene que ver con qué se hace en zonas de terremotos, climas tropicales o mediterráneos, inviernos severos con poca luz solar, las cuatro estaciones del Norte de Europa, y demás. Tiene que ver con las presunciones básicas acerca de la vida; las soluciones rutinarias incuestionables de los problemas cotidianos que son aceptadas, sin pensarlo y sin discusión. Es esencial referirse a este núcleo de la existencia humana si queremos comenzar a entender las diferencias básicas entre culturas.

La cultura forma la raíz de todas nuestras acciones, a pesar de que generalmente no nos percatamos de su papel. No es hasta que nos ponemos en contacto con otra cultura diferente que comenzamos a examinar la nuestra propia y empezamos a pensar más allá de las capas superficiales.

Si los niños van a crecer siendo adolescentes y adultos sensibles y sin prejuicios, abiertos a otras culturas y dispuestos a saber más, es importante sentar las bases en los años formativos de la niñez.

Planificación

Es importante ser positivo en lo que decimos y hacemos pues estamos tratando de influenciar actitudes de por vida.

Amy, una niña norteamericana, se mudó a Tokio con sus padres y le escribía regularmente a su vecinita Marge, de ocho años de edad, enviándole regalitos, sellos y hasta un kimono con getas (zapatos japoneses). Esto imprimió en Marge una actitud positiva para las cosas del Japón.

Cuando Marge fue a la universidad, tomó un curso de japonés. De vacaciones viajó al Japón, pero lo halló diferente a los estereotipos que se había hecho en su mente. Su actitud positiva y sus estudios la ayudaron a sobreponerse a esta sorpresa desagradable. Hoy en día trabaja en el campo de los estudios japoneses.

Planifique guiar a su hijo más allá de los niveles superficiales de la cultura ayudándolo a comenzar a hallar los niveles intermedios. Quizás sea demasiado temprano para hacer comparaciones, pero él estará almacenando información para más adelante, con mayor experiencia y madurez, comenzando a ver las razones por las que existen ciertos comportamientos específicos.

Comience mirando la cultura del idioma extranjero. No trate de ser multicultural, pues esto complica las cosas. Eso viene después. Si el niño compara su cultura con la otra, empezará a construir su propio sistema para analizar la cultura. A la misma vez estará averiguando más de su propia cultura: algo que antes seguramente ignoraba. Va a necesitar tiempo para desarrollar sus propios sistemas de análisis antes de poder analizar una tercera cultura a profundidad. Desde luego, lo puede hacer, pero probablemente hará más lento su aprendizaje y lo puede llegar a confundir.

Por medio de actividades trate de:

- animar la curiosidad
- desarrollar solidaridad hacia otros pueblos
- respetar la forma de hacer las cosas de otros
- buscar similitudes y diferencias
- entender que el valor de las palabras puede cambiar entre culturas
- desarrollar la conciencia de su propia cultura.

La conciencia incipiente del valor de las palabras

Una niña británica de cinco años de edad, que estaba aprendiendo francés, pasó por estas tres etapas:

Primera etapa

La niña admitió que dos palabras diferentes podían usarse para describir el mismo objeto.

a car

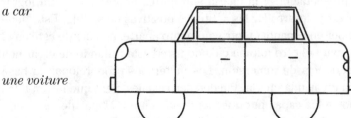

une voiture

Segunda etapa

Tres meses más tarde se percató por si sola de que la relación de objetos concretos no es siempre una de uno a uno. Hay aspectos culturales que pueden alterar las cosas. Ella nunca había visto una libreta que se pareciera a la libreta francesa que llaman *cahier*.

notebook en Gran Bretaña *cahier* en Francia	libreta sin rayas o con rayas de otro tamaño, con papel cuadriculado y con margen impreso

Tercera etapa

school lunch en Gran Bretaña	almuerzo escolar: carne, dos verduras y galletitas, servido por el personal de la cafetería de la escuela
repas de midi en Francia	una comida de tres platos con salsas y postre

Poco a poco empezó a entender que los significados atribuidos a las palabras no son siempre iguales a sus significados reales o pretendidos.

Cómo ayudar

La presentación y la charla son partes importantes para lograr alentar y desarrollar las actitudes positivas de su hijo. Esto tiene que ser en español en otro momento aparte, no cuando esté en el rato para el otro idioma cuando usted está tratando de crear una experiencia de inmersión. Los materiales proporcionan la base para crear una charla. Pueden ser visuales, pero que lleven a los niños a las capas intermedias de la cultura. Mapas de las condiciones del tiempo, mapamundis, escalas de temperatura y noticias actuales sobre terremotos, por ejemplo, pueden ser puntos de partida para observar las influencias en el núcleo de la cultura.

Como el lenguaje y la cultura están interrelacionados en las actividades, el niño aprenderá ambos. Le toca a usted, luego entonces, planificar algunas actividades que contengan más cultura que otras, tales como hacer hacer arroz frito y comerlo con palillos, o cantar una polka alemana bailando y haciendo gestos. Las siguientes listas pueden ayudarla a planear el contenido cultural. Aunque han sido enumeradas como capas externas e internas de cultura, en realidad estas categoría son de los adultos, y las dos están entrelazadas y sobrelapan. Hay muchas otras ideas que se han mencionado en el libro, especialmente en los capítulos 9 y 10.

Capas exteriores de la cultura

¿Cuál es su apariencia?

- Use fotos de pueblos, del campo, de la gente y de tipos de casas y jardines.
- Use cuentos y hable de lugares y gente de interés histórico.

¿A qué suena?

- Use grabaciones de música, canciones, bailes tradicionales y rimas.

¿A qué sabe?

- Investigue alimentos y cocina.

Capas interiores de la cultura

¿Cómo se siente?

- Use mapas de las condiciones climáticas.
- Busquen el país en un globo terráqueo.

Forma de vida

- Vida diaria
- Vida familiar
- Vida escolar
- Actividades recreativas

Estereotipos

Hay un debate acerca de si debemos usar estereotipos o no. Sin embargo, dentro de lo razonable, y usados sensatamente, tienen su valor, siempre y cuando estén razonablemente al día y no sean exagerados.

Todos los ingleses no usan bombines. Nunca los usaron, y ver uno hoy en la ciudad de Londres es algo poco común. Todos los franceses no usan boinas. Todos los alemanes no usan pantalones cortos de cuero. Todos los españoles no usan sombreros. Hay niños japoneses que nunca se han puesto un kimono.

Es importante no presentarle a su hijo extremos fuera de moda que sorprenden en vez de ser lo común. A pesar de que estos prototipos persisten, es mejor evitarlos. Si no los puede evitar, explíquelos para que tengan menos importancia.

Los estereotipos son generalizaciones muy amplias. Son útiles en lo que proporcionan una forma simplificada y esencial, o sea, son símbolos que se pueden entender y aprender inmediatamente. Los estereotipos son como escalones. Dan una forma de entrar en la cultura. Con mayor experiencia se verá que no son representativos de la cultura, y por ende, deberán ser abandonados.

Cultura infantil

La cultura infantil existe en toda sociedad. El lugar que tienen los niños en la familia y en la sociedad es diferente de cultura a cultura, así como varían las expectativas de lo que el niño debe y puede hacer. Es difícil averiguar de la cultura infantil—los juegos típicos, la vida diaria en casa o en la escuela, y la relación entre ellos y sus padres y la familia mayor.

Trate de aveiguar esto de libros, de hacerle preguntas a la gente, o mediante observación si va al extranjero. Cuantos más juegos y lenguaje infantil conozca su hijo más fácil le será jugar con otros niños cuando vaya al extranjero. Tendrá algo en común con ellos. Cuanto más lo prepare para la vida diaria y especialmente para la cultura de la mesa—comida y modales—más disfrutarán ustedes sus vacaciones en el extranjero. En muchos países europeos, por ejemplo, los niños son parte de los comensales de noche, pero se espera que se sepan comportar.

Vida escolar

La vida escolar puede ser muy diferente de país a país. Es bueno averiguar todo lo que se pueda pues puede afectar la forma de pensar de los niños y su conducta también. No solo será diferente el contenido y la forma de enseñar, pero también serán diferentes las expectativas. ¿Cómo le hablan los niños a la maestra y cómo se espera que la maestra les conteste? La relación entre la maestra y los alumnos varía de cultura a cultura, y esto puede causar problemas hasta en una clase en su país si la maestra extranjera pretende que los niños se comporten como en su país—y no lo hacen.

Gestos y lenguaje corporal

Esto varía de cultura a cultura. Hable con su hijo para que no se sorprenda o avergüence por las diferencias en la forma de dar la mano, abrazarse, besarse o mirarse a los ojos. Tocarse o la distancia entre las personas pueden confundir a los niños que no están preparados para ello.

Choque cultural

El choque cultural en los adultos es aceptado, pero poca gente se da cuenta de que los niños también lo sufren. Creen que los niños cambian de país sin más ni más. Esto puede parecer así al no poder los niños expresar sus sentimientos o no poder siquiera entender qué es lo que les está pasando. A los adultos todo les parece bien si los niños están ocupados en algo.

Hay choque cultural no sólo cuando se cambia de país. Se puede experimentar también cuando el niño se muda a otra zona o se va de vacaciones a otra parte de su propio país. En estos casos el choque es probablemente menor, y ciertamente más fácil de absorber, al no existir la barrera del idioma, y pudiéndose encontrar similitudes culturales rápidamente.

El choque cultural de mudarse a un país extranjero parece pasar por una etapa de luna de miel, donde todo es nuevo y maravilloso, hasta una etapa de frustración, cuando las diferencias culturales parecen ser mayores que las similitudes. Los períodos de frustación se pueden llevar a un mínimo si el niño está equipado con los conocimientos de la cultura y de la forma de vida, ya que esta información le proporciona pistas para descifrar la cultura. Imágenes visuales de la nueva cultura parecen contribuir a disminuir el choque cultural en los niños. Haber visto escenas conocidas de la nueva cultura antes de llegar al país hace que la aceptación del cambio sea más rápida. El tiempo que tenga el niño antes de mudarse para ver las imágenes, mostrárselas a la familia y amistades y hablar de ellas, le ayuda a evitar el miedo y contribuye a su habilidad de adaptación rápida.

Los niños japoneses que han recibido fotos de su casa, escuela y maestros en EE.UU. antes de mudarse, se aclimatan mucho antes que los que llegan a un medio totalmente nuevo. Logran reconocer su casa antes de llegar y ya saben cómo serán sus cuartos.

Lo que esperan los niños depende de la cultura de donde provengan. Los conocimientos previos los ayudan a identificar las similitudes sobre las cuales pueden construir su entendimiento de la cultura extranjera. Una vez vencida la frustración, los niños entran en la tercera etapa, la del goce y la aceptación. Usted puede ayudar a reducir el choque cultural ayudando a su hijo a desarrollar su banco personal de información cultural. De esta forma estará preparado para futuros encuentros con la cultura, tales como visitar un restaurante de ese país, conocer gente de ese país, o poder funcionar en ese país cuando lo visite.

Preguntas que hacen los padres

¿Cómo puedo averiguar más sobre la cultura norteamericana—especialmente los niveles interiores?

Vaya a la biblioteca y busque libros sobre EE.UU., especialmente sobre su sociedad. Vea programas de televisión y de radio y acuda a programas culturales y charlas. Si encuentra una familia norteamericana en su zona, esto le dará una oportunidad de averiguar cómo viven y lo que piensan de la cultura de su país. Sus comentarios probablemente le harán pensar.

Mi hijo viene del colegio con ideas sobre otras culturas que a mí no me gustan.

Los prejuicios se esparcen rápidamente entre los niños, y lo que dicen los compañeritos tiene influencia en nuestros hijos. Los prejuicios se basan casi siempre en las capas visuales y simbólicas de la cultura. Trate de explicarle a su hijo por qué estos símbolos son como son. Su hijo comenzará a entender la realidad, y aunque sea demasiado tímido para contradecir a sus compañeros, posiblemente abandone el punto de vista de ellos.

Resumen

El interés y la curiosidad acerca de la cultura extranjera pueden servir de motivación para aprender un idioma. Al descubrir más acerca de otra cultura, su hijo aprenderá a identificar aspectos de su propia cultura y la entenderá mejor. Los sistemas para analizar la cultura, que los niños crean por sí solos, son fundamentales para entender las implicaciones de sus acciones y lenguaje. Muchos niños bilingües y biculturales llegan a ser buenos diplomáticos y negociadores. Se dice que "entienden la forma de pensar detrás de las palabras".

CAPÍTULO DOCE

Cómo mantener el idioma extranjero vivo

Los idiomas son para toda la vida. Las habilidades aprendidas en la niñez no parecen ser olvidadas por completo, simplemente pueden estár fuera de práctica. Es como montar bicicleta o nadar, una vez que se aprenden, no se olvidan por completo, y con práctica se llegan a recobrar.

Mantener un idioma extranjero parece estar relacionado con la habilidad de lectura. Los niños que no han empezado a leer cuando aprenden otro idioma, pierden la habilidad de hablarlo rápidamente si no tienen oportunidades de usarlo. Los niños que han logrado hablar bien y que saben leer tienden a poder mantener el idioma. El grado en que logran mantenerlo, sin embargo, depende de su nivel de habilidad hablada y escrita. Desde luego, no importa su nivel de lectura, los niños pierden algo de su habilidad si no tienen oportunidad de oir, hablar y leer el lenguaje. Si siguen leyendo nada más, mantienen algo, pero pierden la confianza de hablar y por consiguiente, cuando tienen la ocasión, terminan no diciendo nada, muy poco o simplemente se sonríen.

Una niña británica de 11 años de edad, que podía hablar francés bien, tenía problemas en aprender las declinaciones alemanas y la gramática de su libro de texto en un colegio secundario. Finalmente le pidió a sus padres que le bus-

caran una familia alemana con quien vivir. Prometió que regresaría hablando alemán, ya que era así como ella aprendía. Luego de dos semanas de estadía, hubo un marcado cambio en su habilidad y actitud. Ella había probado que sabía aprender idiomas, y no era de la manera que lo hacían en la escuela.

Si su hijo no está leyendo todavía, o sólo comienza a leer en el otro idioma, y si no quiere que pierda esta habilidad, es esencial que mantenga ciertas actividades. Si no puede lograr hacerlo por su cuenta, o si no puede hallar nada cerca de casa, perderá la habilidad en corto tiempo. Desde luego que mantendrá las actitudes positivas que desarrollaron juntos. Más tarde, cuando vuelva a estudiarlo, aprenderá sorprendentemente mucho más rápido que los demás niños que estén estudiando el idioma por primera vez. Este será el caso por seguro si cuando él empiece otra vez usted lo alienta y anima en casa.

Si ya su hijo sabe leer, es una pena no seguir con algunas actividades. Luego de un gran esfuerzo antes de las vacaciones o durante una temporada de ratos para el otro idioma, es normal que quiera tomarse un descanso. Si este fuera el caso, busque un club de idiomas o una experiencia de inmersión total (vea p. 52) pero continúe los ratitos informales y los cuentos y mantenga el rincón del otro idioma. Si le pide que hagan cosas en el otro idioma, haga el tiempo y anímelo. Durante vacaciones, traten de hacer un par de proyectos. Todos los disfrutarán y ayudarán a mantener la familia unida. Como ya está en el hábito de planificar y recolectar materiales, es fácil mantener algo en vivo. No importa que sea algo que ya hicieron antes, a su hijo le gustará.

Ya usted ha invertido mucho tiempo en su hijo, y vale la pena persistir. Siga mostrando interés en lo que está haciendo y continúe compartiendo cosas con él. Si usted le pasa todo a otros adultos fuera de casa, su hijo puede pensar que ya ni a usted ni a la familia le interesa el otro idioma. Esto puede ser dañino en su efec-

to al estudiar idiomas más tarde. Puede también influenciar nega-
tivamente en su actitud hacia la cultura extranjera.

¿Qué idioma estudiar en la escuela secundaria?

Es posible que tenga opciones sobre cuál idioma estudiar. Antes de
decidir, es imporante que su hijo y usted hablen, teniendo en
mente lo siguiente:

- Todo idioma extranjero empezará por el principio. Darán
  conversación y algo de análisis gramatical. El lenguaje que se
  enseña y la terminología gramatical pueden ser diferentes de
  lo estudiado antes, y puede traer confusión. Esto puede cul-
  minar en pérdida de confianza y llegar a quitar la motivación,
  pero esto dependerá de su hijo y de cómo usted abordó el
  lenguaje.
- La mayor parte de los maestros tiene problemas de individua-
  lizar la enseñanza para los niños que ya conocen el otro idioma y que están en otro nivel. Esto causa que en muchos
  casos se desmotiven y se aburran.
- ¿Qué otros idiomas se imparten? ¿Cómo los enseñan? ¿Hay
  ocasión de conocer extranjeros o de visitar el país?
- ¿Será mejor empezar un tercer idioma?

Estudiar un tercer idioma

Se reconoce que aprender un tercer idioma es mucho más fácil
que el segundo, si los métodos de estudio y las oportunidades son
similares.

Una niña canadiense, de catorce años de edad, que ya
sabía francés e inglés, asistía a un colegio del gobierno

*francés en el extranjero. Tomó alemán en el colegio. La
maestra lo enseñaba como el latín, haciendo que los niños
se aprendieran las declinaciones y la gramática según el
libro de texto. La niña estaba habituada a aprender
idiomas y confrontó que no podía aprender alemán de esta
manera. Su madre lo comprendió, e hizo arreglos para que
se pasara unas vacaciones en casa de una familia alemana
que tenía dos niños pequeños. Rápidamente aprendió a
hablar alemán pero no de la manera que lo enseñaban en el
colegio.*

Los niños aprenden un tercer idioma de manera similar a como lo
hicieron en su primer y segundo idioma. Sus hábitos de aprender
idiomas han sido probados y desarrollados. Comienzan el estudio
del tercer idioma con confianza e interés. Su experiencia con dos
idiomas le ha dado una noción de cómo funcionan los lenguajes.
Esto les da una ventaja sobre otros niños que recién aprenden su
primer idioma. Generalmente logran tener un acento muy bueno,
al tener dos repertorios de sonidos a su disposición.

Si el tercer idioma viene de la misma familia de idiomas (por
ejemplo, romance: español, francés, italiano, rumano, catalán, vienen del latín) es más fácil aprenderlos. Sin embargo, si el lenguaje
es de otro origen—la estructura y a veces la forma escrita del lenguaje puede ser diferente—los niños de todas maneras estudiarán
el tercer idioma como si nada. De hecho, parece gustarles el reto
de aprender una caligrafía diferente.

Los adultos que estudian árabe como tercer idioma hallan que
leer de derecha a izquierda causa que tengan que usar músculos
nuevos y que la coordinación del ojo y la mano es a veces doloro-
sa. Los niños de ocho a diez años que estudian árabe como segundo idioma, no parecen tener estas dificultades. En el mismo grupo,
siguiendo el mismo curso, los niños aprenden más rápidamente
que sus padres.

Selección del tercer idioma

Si su hijo tiene una buena base en su primer idioma, es buena idea que comente con él el empezar un tercer idioma—su segundo idioma extranjero cuando llegue a la escuela secundaria. Estaría comenzando desde el principio y por ende estaría al mismo nivel que los demás en la clase. Se piensa que es más fácil empezar los idiomas extranjeros más difíciles antes, así que este puede ser el momento de estudiar ruso, chino, japonés o árabe. Averigüe en el colegio cómo se enseñan los idiomas allí, cuál es el programa y si se pueden tomar exámenes calificatorios al final. Todo esto es importante, ya que una vez que comience, su hijo tendrá que poder continuar el idioma, y si es un idioma difícil, usted no podrá ayudarlo en casa.

Si no le interesa un idioma difícil, o no hay oportunidades de aprender uno en su colegio, le puede sugerir que estudie alemán, si ya ha estudiado inglés.

Aprender un tercer idioma y mantener el segundo

Si su hijo comienza a estudiar un tercer idioma en el colegio (donde se clasifica como segundo idioma) le toca a usted lograr que continúe con su segundo idioma. No puede pensar que lo puede hacer por sí solo. Si no encuentra maneras interesantes de mantenerlo, luego de un entusiasmo inicial, será dejado de lado.

- Averigüe si hay un club de idiomas en el colegio. Eso puede ser divertido. Puede ser que les convenga mucho tenerlo por que ya sabe hablar, y puede tropezarse con otros que aprendieron en casa también. Esto puede llevar a muchas actividades motivacionales.
- Busque programas de inmersión en su zona. Haga contacto con embajadas e institutos culturales para ver qué programas tienen durante el año escolar y en las vacaciones. Es posible que hayan muchas cosas en su zona o cerca.

- Al mismo tiempo, trate de mantener algunas cosas en casa. Como ya es mayor, no querrá tener ratos para el otro idioma, pero sí querrá conversar con usted de lo que está haciendo.
- Posiblemente le guste la música, así que puede comprarle discos populares en el otro idioma. Es posible conseguir audiocasetes y CDs en el país o traerlos del extranjero.
- Vayan a restaurantes extranjeros de vez en cuando y hagan platos extranjeros en casa.
- Quizás todavía se escriba con su amigo por correspondencia.
- Grabe películas extranjeras o pida prestado videos y revistas o libros. Traten de verlos y leerlos juntos para comentarlos.
- Si se van de vacaciones, aunque sea un par de noches, seleccionen un sitio donde practicar el idioma. Asegúrese de que él participe en los planes y en las traducciones. Si está listo, mándelo en un programa de intercambio (p. 171).

Déjele recados telefónicos en el otro idioma, o en el rincón del otro idioma.

Si las busca, hay muchas oportunidades de mantener vivo el otro idioma. Sin embargo, todas estas cosas salen mejor si las comenta con su hijo antes de hacerlas. Así podrá ampliar y repetir las oportunidades de usar el otro idioma, y continuará influenciándolo a entender mejor las demás culturas.

Resumen

Los idiomas son de por vida, y nadie se los puede quitar si los ha aprendido. Al seguir ayudando a su hijo le habrá dado una contribución permanente a su vida, y a su comprensión de los demás y de sus culturas.

Desde sus comienzos en casa, ya está listo y confiado a seguir su estudio de un tercer idioma, y quizás más tarde un cuarto también. Para él los idiomas serán algo vivo y real. Son un medio de comunicarse con otros pueblos.

Al aprender de otra cultura, habrá aprendido a conocer la suya mejor. Esto le proporciona las herramientas para observar otras culturas y le ayudará a desarrollar una perspectiva multicultural.

Al planificar con cuidado y al compartir su tiempo, usted ha logrado ampliar el punto de vista de su hijo, ha aumentado sus conocimientos y al trabajar con él ha logrado desarrollar su habilidad de aprender a aprender.

Al haber comenzado de muy joven, todo esto lo ha logrado sin pensarlo dos veces. A pesar de que habrá épocas, especialmente en la adolescencia, donde podrá menospreciar su habilidad en otros idiomas, con la madurez descubrirá las posibilidades que esto le ofrece en el camino que le resta. Será en ese momento en que usted vea cabalmente la contribución que ha hecho.

Frases útiles para estudiantes principiantes de francés, alemán, italiano e inglés

Francés

Acerca de mi

Me llamo . . .	Je m'appelle . . .
Yo soy . . .	Je suis . . .
Yo tengo ocho años (de edad).	J'ai huit ans.
Mi cumpleaños es el 1º de octubre	Mon anniversaire est le 1er octobre.
Me gusta jugar fútbol.	J'aime jouer au football.
Me gusta ver televisión.	J'aime regarder la télevision (o) la télé.
No me gusta nadar.	Je n'aime pas nager.
¿Te gusta cocinar?	Aimes-tu faire la cuisine?
Es fantástico.	C'est super.
No me gusta.	Je n'aime pas ça.
Tengo un reloj.	J'ai une montre.

FRASES ÚTILES PARA ESTUDIANTES PRINCIPIANTES DE FRANCÉS, ALEMÁN, ITALIANO E INGLÉS

Tengo puestas las medias rojas hoy.	Je porte mes chausettes rouges aujourd'hui.
Mi camiseta está sucia.	Mon T-shirt est sale.
¿Tienes una bolsa?	As-tu un sac?
Ese es mi libro.	C'est mon livre.
¿Es tuyo?	C'est à toi?
No me gusta el chocolate.	Je n'aime pas le chocolat.
¿Te gusta el helado?	Aimes-tu la glace?
¿Qué pasa?	Qu'est ce qu'il y a?
No me siento bien. Me siento mal.	Je ne me sens pas bien. Je me sens malade.
Me duele la cabeza.	J'ai mal à la tête.
Estoy cansado.	Je suis fatigué(e).
Estoy contento.	Je suis content(e).
Estoy triste.	Je suis triste.
Me siento mejor, gracias.	Ça va mieux, merci.

Saludos

Buenos días.	Bonjour. Salut.
Adiós.	Au revoir. Salut.
Hasta luego/mañana.	A bientôt/A demain.
Buenas noches, que duermas bien.	Bonne nuit, dors bien.

Conducción de actividades

¿Me puede dar un helado, por favor?	Est-ce que je peux avoir une glace, s'il vous plaît?
¿Me prestas tu pluma, por favor?	Je peux prendre ton stylo, s'il te plaît?
Gracias.	Merci.
¿Qué quieres?	Qu'est-ce que tu veux?
Pásame el lápiz.	Passe-moi le crayon.
¿Dónde está el pegamento?	Où est la colle?

¿Dónde están las plumas de fieltro? Où sont les feutres?

Está sobre la mesa. C'est sur la table.

¿Tienes las tijeras? As-tu les ciseaux?

Pega aquí. Corta allí. Colle-ici. Découpe-là.

Organización de juegos

¿Estás listo? Comencemos. Tu es prête? Commençons!

Juguemos lotería. Jouons au Loto.

Ve a buscar la lotería. Va chercher le Loto.

Empieza tú. Tu commences.

Te toca a ti. C'est à toi.

No, me toca a mí. Non. C'est à moi.

Te toca a ti de nuevo. C'est encore à toi.

Bien hecho. Bien joué.

Has ganado. Tu as gagné.

Pon las cartas aquí. Mets les cartes ici.

Mira. Terminé. Voilà . J'ai fini.

Se me ha perdido el dado. J'ai perdu le dé.

Reparte las cartas. Donne les cartes.

Cuenta hasta . . . Compte jusqu'à . . .

Tu eres rojo. Yo soy azul (fichas) Toi, tu es rouge. Moi, je suis bleu.

¿Puedo jugar yo también? Moi aussi, je peux jouer?

Dale rápido. Allez-vite.

Muéstrame. Montre-moi.

No muestres tus cartas. Ne montre pas tes cartes.

Toma algo. Prends-en.

No tomes nada. N'en prends pas.

Lenguaje para entender

¿Qué quiere decir eso? Qu'est-ce que ça veut dire?

No entiendo. Je ne comprends pas.

FRASES ÚTILES PARA ESTUDIANTES PRINCIPIANTES DE FRANCÉS, ALEMÁN, ITALIANO E INGLÉS

¿Cómo se dice *perro* en francés?	Ça se dit comment *perro* en français?
¿Cómo se escribe eso?	Ça s'écrit comment?
Dígalo de nuevo, por favor.	Répète-le, s'il te plaît.
¿Cómo se escribe?	Comment ça s'écrit?
Recita el alfabeto.	Récite l'alphabet.
Recita el alfabeto hasta la g.	Récite l'alphabet jusqu'á *g*.

Lenguaje para alentar y felicitar

Bravo.	Bravo.
Bien hecho.	Bien. C'est bien.
Inténtalo de nuevo. Lo puedes hacer.	Essaie encore. Tu peux y arriver.
Qué bien. Me gusta.	C'est joli. J'aime ça.

Alemán

Acerca de mi

Me llamo . . .	Ich heiße . . .
Yo soy . . .	Ich bin . . .
Yo tengo ocho años (de edad).	Am . . .werde ich acht.
Mi cumpleaños es el 1° de octubre	Ich habe am 1. Oktober Geburtstag.
Me gusta jugar fútbol.	Ich spiele gerne Fußball.
Me gusta ver televisión.	Ich sehe gerne fern.
No me gusta nadar.	Ich schwimme nicht gerne.
¿Te gusta cocinar?	Kochst du gerne?
Es fantástico.	Das ist toll.
No me gusta.	Das gefällt mir nicht.
Tengo un reloj.	Ich habe eine Uhr.
Tengo puestas las medias rojas hoy.	Heute habe ich rote Socken an.
Mi camiseta está sucia.	Mein T-Shirt ist schmutzig.
¿Tienes una bolsa?	Hast du eine Tasche?
Ese es mi libro.	Das ist mein Buch.
¿Es tuyo?	Gehört das dir?
No me gusta el chocolate.	Ich esse nicht gerne Schokolade.
¿Te gusta el helado?	Ißt du gerne Eis?
¿Qué pasa?	Was ist denn los?
Me siento mal.	Mir ist schlecht.
Me duele la cabeza.	Mein Kopf tut weh.
Estoy cansado.	Ich bin müde.
Estoy contento.	Ich bin glücklich.
Estoy triste.	Ich bin traurig.
Me siento mejor, gracias.	Es geht mir besser, danke.

FRASES ÚTILES PARA ESTUDIANTES PRINCIPIANTES DE FRANCÉS, ALEMÁN, ITALIANO E INGLÉS

Saludos

Buenos días.	Guten Morgen.
Adiós.	Auf Wiedersehen.
Hasta luego/mañana	Bis bald/morgen.
Buenas noches, que duermas bien.	Gute Nacht, schlaf gut.

Conducción de actividades

¿Me puede dar un helado, por favor?	Kann ich bitte ein Eis haben?
¿Me prestas tu pluma, por favor?	Kann ich bitte deinen Bleistift haben?
Gracias.	Danke schön.
¿Qué quieres?	Was willst du?
Pásame el lápiz.	Gib mir den Bleistift.
¿Dónde está el pegamento?	Wo ist der Kleber?
¿Dónde están las plumas de fieltro?	Wo sind die Filzstifte?
Está sobre la mesa.	Er/sie/es ist auf dem Tisch.
¿Tienes las tijeras?	Hast du die Schere?
Pega aquí. Corta allí.	Klebe hier. Schneide dort.

Organización de juegos

¿Estás listo? Comencemos.	Bist du fertig? Laß uns anfangen!
Juguemos lotería.	Laß uns Lotto spielen.
Ve a buscar la lotería.	Geh mal das Lotto holen.
Empieza tú.	Du fängst an.
Te toca a ti.	Du bist dran.
No, me toca a mí.	Nein. Ich bin dran.
Te toca a ti de nuevo.	Du bist wieder an der Reihe.
Bien hecho.	Gut gemacht.
Has ganado.	Du hast gewonnen.

Pon las cartas aquí.

Leg die Karten hierher.

Mira. Terminé.

Schau, ich bin fertig.

Se me ha perdido el dado.

Ich habe die Würfel verloren.

Reparte las cartas.

Gib die Karten aus.

Cuenta hasta . . .

Zähl bis . . .

Tu eres rojo. Yo soy azul (fichas)

Du hast rot.—Ich habe blau. (*Steine*)

¿Puedo jugar yo también?

Kann ich auch mitspielen?

Dale rápido.

Beeil dich.

Muéstrame.

Zeig mir . . .

No muestres tus cartas.

Halte deine Karten verdeckt.

Toma algo.

Ziehe ein paar (Karten).

No tomes nada.

Ziehe keine (Karten).

Lenguaje para entender

¿Qué quiere decir eso?

Was bedeutet das?

No entiendo.

Ich verstehe nicht.

¿Cómo se dice *perro* en alemán?

Wie sagt man *perro* auf Deutsch?

¿Cómo se escribe eso?

Wie schreibt man das?

Dígalo de nuevo, por favor.

Sag das noch einmal, bitte.

¿Cómo se escribe?

Wie schreibt man das?

Recita el alfabeto.

Sag das Alphabet auf.

Recita el alfabeto hasta la g.

Sag das Alphabet bis *g* auf.

Lenguaje para alentar y felicitar

Bravo.

Bravo.

Bien hecho.

Das ist gut.

Inténtalo de nuevo. Lo puedes hacer.

Versuch es noch einmal. Du kannst es.

Qué bien. Me gusta.

Das ist schön. Das gefällt mir.

Italiano

Acerca de mi

Me llamo . . .	Mi chiamo . . .
Yo soy . . .	Sono . . .
Yo tengo ocho años (de edad).	Compio otto anni il . . .
Mi cumpleaños es el 1° de octubre.	Il mio compleanno è il primo di ottobre.
Me gusta jugar fútbol.	Mi piace giocare a calcio.
Me gusta ver televisión.	Mi piace guardare la televisione.
No me gusta nadar.	Non mi piace nuotare.
¿Te gusta cocinar?	Ti piace cucinare?
Es fantástico.	È favoloso.
No me gusta.	Non mi piace.
Tengo un reloj.	Ho un orologio.
Tengo puestas las medias rojas hoy.	Oggi porto i calzini rossi.
Mi camiseta está sucia.	La mia magliêtta è sporca.
¿Tienes una bolsa?	Hai un sacco?
Ese es mi libro.	Quello è il mio libro.
¿Es tuyo?	Quello è tuo?
No me gusta el chocolate.	Il cioccolato non mi piace.
¿Te gusta el helado?	Ti piacciono i gelati?
¿Qué pasa?	Che cosa c' è?
Me siento mal. Sto' male).	Ho la nausea (I feel ill = Me
Me duele la cabeza.	Ho mal di testa.
Estoy cansado.	Sona stanco (*feminine:* stanca).
Estoy contento.	Sono felice.
Estoy triste.	Sono triste.
Me siento mejor, gracias.	Sto meglio, grazie.

Saludos

Buenos días.	Buongiorno. Ciao.
Adiós.	Arrivederci. Ciao.
	Buongiorno.
Hasta luego/mañana	A presto/A domani.
Buenas noches, que duermas bien.	Buonanotte, dormi bene.

Conducción de actividades

¿Me puede dar un helado, por favor?	(*to mother*) Posso avere un gelato?
¿Me prestas tu pluma, por favor?	Puoi prestarmi la penna?
Gracias.	Grazie.
¿Qué quieres?	Che cosa vuoi?
Pásame el lápiz.	Passami la matita.
¿Dónde está el pegamento?	Dov'è la colla
¿Dónde están las plumas de fieltro?	Dove sono i pennarelli?
Está sobre la mesa.	È sul tavolo.
¿Tienes las tijeras?	Hai le forbici?
Pega aquí. Corta allí.	Incolla qui. Taglia qui.

Organización de juegos

¿Estás listo? Comencemos.	Sei pronto? (*masc.*)/Sei pronta?
(*fem.*)Incominciamo	
Juguemos lotería	Giochiamo a tombola.
Ve a buscar la lotería.	Vai a prendere la tombola.
Empieza tú.	Comincia tu.
Te toca a ti.	Tocca a te.
No, me toca a mí.	No, tocca a me.
Te toca a ti de nuevo.	Tocca di nuovo a te.
Bien hecho.	Bene.
Has ganado.	Hai vinto.
Pon las cartas aquí.	Metti le carte qui.

FRASES ÚTILES PARA ESTUDIANTES PRINCIPIANTES DE FRANCÉS, ALEMÁN, ITALIANO E INGLÉS

Mira. Terminé.	Guarda. Ho finito.
Se me ha perdido el dado.	Ho perso i dadi.
Reparte las cartas.	Distribuisci le carte.
Cuenta hasta . . .	Conta fino a . . .
Tu eres rojo. Yo soy azul (fichas)	Tu hai il rosso. Io ho il blu.
¿Puedo jugar yo también?	Posso giocare anch' io?
Dale rápido.	Fa presto.
Muéstrame.	Fammi vedere . . . (*or:* Mostrami . . .)
No muestres tus cartas.	Non far vedere (*or:* Non mostrare) le carte.
Toma algo.	Prendine un po'.
No tomes nada.	Non prenderne.

Lenguaje para entender

¿Qué quiere decir eso?	Che cosa significa?
No entiendo.	Non capisco.
¿Cómo se dice *perro* en Italiano?	Come si dice *perro* in No Italiano?
¿Cómo se escribe eso?	Come si scrive?
Dígalo de nuevo, por favor.	Ripeti, per favore.
¿Cómo se escribe?	Come si scrive?
Recita el alfabeto.	Ripeti (*or:* Dimmi) l'alfabeto.
Recita el alfabeto hasta la g.	Ripeti (*or:* Dimmi) l'alfabeto fino alla *g*.

Lenguaje para alentar y felicitar

Bravo	Bravo. (*feminine:* Brava)
Bien hecho.	Bene.
Inténtalo de nuevo. Lo puedes hacer.	Prova ancora. Puoi riuscirci. (*or:* Puoi farcela)

Inglés

Acerca de mi

Me llamo . . .

My name is . . .

Yo soy . . .

I'm . . .

Yo tengo ocho años (de edad).

I'm eight on . . .

Mi cumpleaños es el 1º de octubre

My birthday's on October 1st.

Me gusta jugar fútbol.

I like playing soccer.

Me gusta ver televisión.

I like watching television.

No me gusta nadar.

I don't like swimming.

¿Te gusta cocinar?

Do you like cooking?

Es fantástico.

It's great.

No me gusta.

I don't like it.

Tengo un reloj.

I've got a watch.

Tengo puestas las medias rojas hoy.

I'm wearing red socks today.

Mi camiseta está sucia.

My T-shirt is dirty.

¿Tienes una bolsa?

Have you got a bag?

Ese es mi libro.

That's my book.

¿Es tuyo?

Is that yours?

No me gusta el chocolate.

I don't like chocolate.

¿Te gusta el helado?

Do you like ice cream?

¿Qué pasa?

What's the matter?

Me siento mal.

I feel sick.

Me duele la cabeza.

I've got a headache.

Estoy cansado.

I'm tired.

Estoy contento.

I'm happy.

Estoy triste.

I'm sad.

Me siento mejor, gracias.

I'm feeling better, thanks.

FRASES ÚTILES PARA ESTUDIANTES PRINCIPIANTES DE FRANCÉS, ALEMÁN, ITALIANO E INGLÉS

Saludos

Buenos días.	Good morning
Adiós.	Good-bye.
Hasta luego/mañana	See you soon/tomorrow.
Buenas noches, que duermas bien.	Good night, sleep well.

Conducción de actividades

¿Me puede dar un helado, por favor?	Can I have an ice cream, please?
¿Me prestas tu pluma, por favor?	Can I have your pen, please?
Gracias.	Thank you.
¿Qué quieres?	What do you want?
Pásame el lápiz.	Pass me the pencil.
¿Dónde está el pegamento?	Where's the glue?
¿Dónde están las plumas de fieltro?	Where are the felt tip pens?
Está sobre la mesa.	It's on the table.
¿Tienes las tijeras?	Have you got the scissors?
Pega aquí. Corta allí.	Paste here. Cut there.

Organización de juegos

¿Estás listo? Comencemos.	Are you ready? Let's start.
Juguemos lotería.	Let's play Lotto.
Ve a buscar la lotería.	Go and get Lotto.
Empieza tú.	You begin.
Te toca a ti.	It's your turn.
No, me toca a mí.	No. It's my turn.
Te toca a ti de nuevo.	It's your turn again.
Bien hecho.	Well done.
Has ganado.	You've won.
Pon las cartas aquí.	Put the cards here.
Mira. Terminé.	Look. I've finished.

Se me ha perdido el dado.

I've lost the dice.

Reparte las cartas.

Deal the cards.

Cuenta hasta . . .

Count to . . .

Tu eres rojo. Yo soy azul (fichas)

You are red. I'm blue. (*counters*)

¿Puedo jugar yo también?

Can I play, too?

Dale rápido.

Go on quickly

Muéstrame.

Show me . . .

No muestres tus cartas.

Don't show your cards.

Toma algo.

Take some.

No tomes nada.

Don't take any.

Lenguaje para entender

¿Qué quiere decir eso?

What does that mean?

No entiendo.

I don't understand.

¿Cómo se dice *perro* en inglés?

How do you say *perro* in English?

¿Cómo se escribe eso?

How do you write it?

Dígalo de nuevo, por favor.

Say it again, please.

¿Cómo se escribe?

How do you spell it?

Recita el alfabeto.

Say the alphabet.

Recita el alfabeto hasta la g.

Say the alphabet up to *g*.

Lenguaje para alentar y felicitar

Bravo.

Bravo

Bien hecho.

That's good.

Inténtalo de nuevo. Lo puedes hacer.

Try again. You can do it.

Qué bien. Me gusta.

That's nice. I like that.

Índice

ACERCA DE BERLITZ

En 1878, el Profesor Maximilian Berlitz tuvo una idea revolucionaria para hacer accesible y agradable el aprendizaje de idiomas. Ciento veinte años más tarde, estos mismos principios se siguen aplicando exitosamente.

Para obtener servicios de instrucción, traducción e interpretación, capacitación intercultural, programas de estudios en el extranjero y una serie de productos de publicaciones y servicios adicionales, visite cualquiera de nuestros más de 350 Centros Berlitz en más de 40 países.

Consulte en su guía telefónica local el Centro Berlitz que se encuentre más cerca de usted o visite nuestra dirección web en http://www.berlitz.com